CAHIERS DU CINÉMA
Collection "Auteurs"

Collection dirigée par Claudine Paquot et Serge Toubiana.

Maquette : Renée Koch et Vincent Lunel.

© Cahiers du cinéma, 1988
ISBN 2-86642-063-2
Diffusion : Seuil, 19 rue Jacob, Paris 6ᵉ

Max OPHULS

William Karl Guérin

REMERCIEMENTS

L'Institut Autrichien de Paris (Rudolf Altmüller, Hélène Lamesch), le Ministère autrichien de la culture (Mr. Riedl), les personnels des bibliothèques de l'IDHEC et de la Cinémathèque française, la photothèque de la Cinémathèque Française, Gernot Heiss (Vienne), Ilona Phombeah (Londres), Olivier Gamble, Hervé Afrine, Françoise Raynaud, Annick et Jean-Claude Narjoux Jean-Max Causse et Jean-Marie Redon (Paris), France Debès et Paul Rousseau (Bordeaux) Aline et Bernard Chardère (Lyon), et bien sûr Meena Wallaby, sans qui (selon la formule consacrée) rien n'aurait été possible.

Photo de couverture :
Max Ophuls (tournage *du Plaisir*) photo
Cahiers du cinéma.

« *Plaisir de femme gît à côté du masculin telle une épopée à côté d'un épigramme* ».
Karl Kraus

« *Tristesse sans fin des films sans femmes* ».
François Truffaut

Danielle Darrieux dans *Le Plaisir*

Introduction

Aux jeunes amateurs de cinéma d'aujourd'hui, l'œuvre d'Ophuls peut sans doute apparaître lointaine[1], profondément inscrite dans une époque (les années 50) déjà soumise au fétichisme du temps passé. A la sortie de *La Ronde* (1950), les *Cahiers du cinéma* n'existent pas encore, et à celle de *Lola Montès* (1955) ils ont dépassé le numéro 50. Entre-temps, Ophuls était devenu « *le cinéaste de chevet* » (Truffaut, dans *Arts)* d'une bonne partie de cette « nouvelle vague » à qui il serait juste de reconnaître un jour un caractère de « lame de fond ». Quatre films *(La Ronde, Le Plaisir, Madame de..., Lola Montès)* avaient suffi à enflammer les sens et les esprits de ceux pour qui « *écrire, c'était faire des films* »[2] (Godard). Le public, lui, ne suivait pas, et les producteurs considéraient avec méfiance cet indéniable artiste dont les budgets colossaux engendraient des déficits qui ne l'étaient pas moins. Ils lui préféraient Claude Autant-Lara et René Clément, « *cinéastes officiels et emblématiques de la quatrième République* » selon Jean Douchet[3]. De plus, l'image d'Ophuls n'offrait pas la netteté propre à séduire la pensée cartésienne, toujours soucieuse de discerner, au sein de l'univers, un ordre de classification permettant à l'idée de circuler sans peines et sans heurts dans un réseau d'images bien codées. A cheval entre deux cultures (l'allemande et la française), le cinéaste de *Madame de...* semblait se dédoubler pour mieux sacrifier, dès

1. Malgré les livres de Georges Annenkov, « Max Ophuls », Le Terrain vague 1962 et Claude Beylie, « Max Ophuls », Seghers 1963, réédition Lherminier 1986.

2. Entretien avec Alain Bergala, « Jean-Luc Godard par Jean-Luc Godard », Editions de l'Etoile 1985, p. 10.

3. « Paris Cinéma », Editions du May 1987, p. 135.

7

que l'occasion lui en était donnée à un « *certain penchant expressionniste qui alourdit l'image*[4] », (Bazin). Il fallait tout l'enthousiasme de ceux qui, outre *La Ronde* et *Le Plaisir*, avaient aussi vu *Lettre d'une inconnue*, *Liebelei*, *Werther* et *L'Exilé*, pour imposer l'idée qu'Ophuls pouvait être considéré, au même titre que Renoir et Rossellini, comme un cinéaste doué de la capacité rare de représenter le réel sans tomber dans le réalisme.

La violence des échanges polémiques autour de *Lola Montès* montre assez que, contre « une certaine tendance du cinéma français », le combat était, au milieu des années 50, loin d'être gagné. L'énergie débordante et la vitalité qui animaient Ophuls (« *Nos cinéastes(...) n'ont pas tous (sa) force* »[5] remarquait Truffaut) étaient un réconfort pour les « *aventuriers* » à la recherche du « *film de demain* »[6]. Elles pourraient se comparer, aujourd'hui, à celles d'un Coppola ou d'un Godard, hommes capables de remuer ciel et terre pour tourner afin d'être en accord avec la phrase de Rossellini qui avait tant impressionné Truffaut : « *Je fais ce film ou je crève* ».[7]

Ne parlons pas (pas déjà !) de morale, mais enfin remarquons que pour les apprentis-cinéastes d'aujourd'hui, de plus en plus en butte aux contingences dommageables de l'univers télévisuel (pour lequel le quantitatif supplée au qualitatif), il y a quelque intérêt à considérer la carrière d'Ophuls sous l'angle de la fidélité à soi-même et à certaines options esthétiques. Par ailleurs, vingt-cinq films constituent l'héritage ophulsien, mais certes pas vingt-cinq chefs-d'œuvre. Mettre en lumière la signification de cet héritage dans une perspective historique n'est pas faire œuvre d'hagiographe. L'éloignement d'un artiste disparu depuis trente ans devient relatif, si l'on considère que les maillons qui relient notre regard au sien sont les films de Godard et Truffaut, qui profitèrent directement de la vitalité dégagée par *Le Plaisir* ou *Lola Montès*. Mais la distance nous permet de poser un regard sur un univers, une époque, où l'attachement des individus à leur terroir d'origine semblait plus susceptible d'être préservé qu'aujourd'hui. Et considérer l'œuvre d'un homme né avec le siècle nous permet aussi d'ancrer le cinéma dans une histoire faite d'autres images que les siennes.

4. *L'Observateur* n° 95.
5. dans *Arts* (15 mai 1957), réédition dans « Le Plaisir des yeux », Editions de l'Etoile 1987, p. 192 - 207.
6. id. p. 223.
7. Lettre à J.M. Barjol, 19 mai 1965. « Le Plaisir des yeux », p. 102.

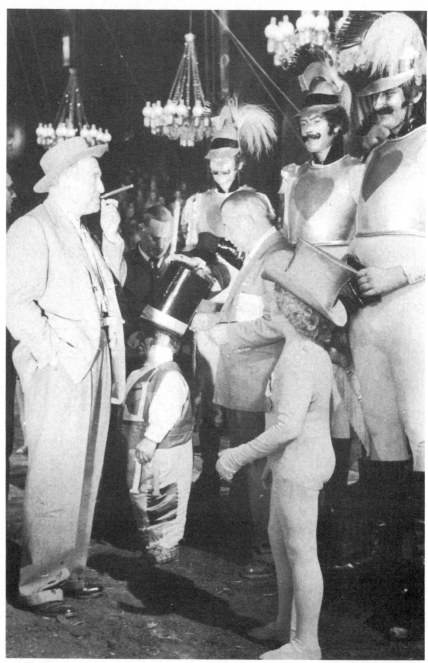

Max Ophuls, les nains et les géants de la troupe du Mammouth Circus (tournage de *Lola Montès*)

Ouverture
Mozart contre Wagner

Ophuls, comme Lang, Stroheim, Ozu, Rossellini, Renoir et bien d'autres, est un artiste dont l'activité se doit d'être située au sein d'une ou de plusieurs cultures qui lui lèguent nombre d'images littéraires, plastiques ou musicales qu'il agence et exploite à son gré. Au-delà des identités nationales (qui sont presque toujours sujettes à caution), les groupes humains possèdent un certain nombre de caractéristiques temporelles dont la présence fonde l'art tout en lui donnant une signification. Faute de cette identité, de cette inscription dans le présent de l'histoire des hommes, l'univers des formes dépérit au même rythme que les sociétés se disloquent. Pas d'art d'où soit absent un sens social, politique, religieux. L'affirmer, c'est jongler avec l'évidence.

Mais l'acrobate n'est pas seul sur son fil et pourrait bien rencontrer son double, celui qui croit ferme en l'art pour l'art. L'évolution de la peinture, de la sculpture, de la musique, depuis le dernier tiers du dix-neuvième siècle, semble donner raison au second, qui se satisfait assez de voir bien des peintres contemporains exercer leurs talents au dépens des musées, ces lieux où les tableaux ne regardent qu'eux-mêmes. A celui-ci, le cinéma pose problème, à moins qu'il ne le considère comme un divertissement de bas étage. Ayant depuis longtemps rangé la figuration au rayon des styles périmés, il qualifie sans trop y regarder l'art d'Ophuls de « baroque ».

Or, si notre pensée « moderne » a appris à discerner les multiples voies de signification qu'empruntent les formes, elle sait trop bien que le sens dont celles-ci témoignent n'est jamais parfaitement maîtrisable. Pour Beaudelaire, la modernité c'est « *le transitoire, le fugitif, le contingent, la moitié de l'art dont l'autre moitié est l'éternel et l'immuable* »[1]. Si l'on retient le qualificatif le plus souvent accolé à l'œuvre d'Ophuls, où

1. « Le Peintre de la vie moderne », Œuvres complètes, Bibliothèque de la Pléïade 1961, p. 1163.

situer cet improbable « baroque » ? Interrogé à ce sujet par Truffaut et Rivette, notre cinéaste répondait par une définition toute germanique, celle de Wölfflin[2] qui oppose l'âge renaissant et l'âge baroque. Mais d'un côté à l'autre du Rhin, cette vision historique devient vision idéologique : en condamnant l'architecture italienne, symbole d'abondance et de mauvais goût, tout en prônant un classicisme plus représentatif du génie national, la raison française de la Restauration récrit l'histoire des styles pour mieux servir la pensée dominante. Au moment où la bourgeoisie du dix-neuvième siècle élabore une mythologie de l'ancien régime — tout en imaginant quelque combinaison impériale destinée à rendre vie à cet univers lointain—, l'extravagance « baroque » est ressentie comme scandaleuse. « Etrange », « excentrique », « choquant », nous dit le dictionnaire lorsqu'il s'agit de trouver quelques équivalents à l'adjectif. D'un univers culturel à l'autre, on le voit, tout bascule. Quant à suggérer que les arabesques dont Le Brun décore la Galerie des Glaces à Versailles sont les traces du baroque italien, cela semble une hérésie aux défenseurs du classicisme français.

Mieux vaut donc revenir à l'ordre dicté par la succession historique des postures et des situations. Débutant sa carrière au sein du théâtre germanique, Ophuls est plongé dans un univers agité par l'onde de choc de la « Gesamtkunstwerk »,[3] l'œuvre d'art totale rêvée par Wagner et ses suiveurs. Toute l'Europe a vécu au début du siècle l'avènement d'un homme chargé d'organiser le rituel de la représentation : le metteur en scène. Le développement de la scénographie selon les conceptions d'Appia et Craig[4] trouve un terrain idéal dans une société où l'art est suffisamment détaché de la vie réelle pour que toute création fasse l'objet d'une médiation chargée de sens. La bourgeoisie, classe dominante depuis la révolution industrielle, ne conçoit l'art que comme objet de décoration ou de spectacle, tout en se détournant de lui dès qu'il témoigne de valeurs propres à remettre en question le principe de base qui permet à la société capitaliste de se perpétuer : produire pour consommer et consommer pour produire.

A un tel public, l'école naturaliste (Antoine[5] et consorts) propose la représentation de « tranches de vies », simulacres de réalité arbitrairement dissociés de leur contexte. Les personnages sont tirés du prolétariat exotique qui peuple ces lointains quartiers populaires où le bourgeois ne se risque pas, et proposent le spectacle d'une misère digne et retenue, comme il sied aux pauvres de bon goût. Le spectateur compatissant connaît

2. « Renaissance und Barock », 1888, Edition française Livre de poche 1967.
3. Gesamtkunstwerk : « Œuvre d'art total » dont participe le « jeu scénique solennel sacré » (Bühnenweihtfestpiel) expérimenté par Wagner à Bayreuth à travers lequel la fusion entre les différents arts (poésie, musique, théâtre, danse) est censée participer d'une initiation permettant l'accès à la vérité absolue. Sur le devenir de cette nation au sein du national-socialisme allemand, voir Philippe Lacoue-Labarthe, « La fiction du politique », Bourgois 1988 pp. 92-113, et Hans-Jürgen Syberberg, « Hitler un film d'Allemagne », Seghers/Laffont 1978.
4. Adolphe Appia (1862-1938) et Edward Gordon Craig (1872-1964), deux des plus importants théoriciens de la scène de la fin du XIXème siècle. Pour eux, l'action doit se développer dans un espace scénique non figuratif soumis à l'ordre de l'ombre, de la lumière, et divisé en volumes nus. cf. Robert Pignarre, « Histoire de la mise en scène », P.U.F. 1975 pp 91-99.
5. André Antoine (1857-1943), fondateur du « Théâtre libre », rêve d'une « dramaturgie qui proscrit la tirade » et qui rend « les tares physiologiques avec une précision clinique » (Pignarre, op. cit. p. 83).

le bonheur d'une prise de conscience sentimentale où la raison n'intervient pas. Il retrouve le climat confortable d'un christianisme dévoyé qui fait du bon cœur la première vertu du fidèle. A la fin du dix-huitième siècle, l'effondrement de l'humanisme chrétien a transformé l'espace religieux en vaste zone inhabitée, sans rien de concret : Wagner a compris le premier tout le parti qu'un habile vendeur d'idéal pouvait tirer d'un tel vide des valeurs, et propose aux bourgeois allemands le spectacle total de la colline sacrée (Bayreuth), où chacun communie religieusement avec la beauté pure à travers un rituel initiatique ordonné par l'artiste-metteur en scène. L'expression de cette foi définit la communauté nationale allemande, et la fusion de l'individu avec les forces primitives et obscures présentes autour de la scène suffit à lui donner la force de supporter son existence d'être impur : face à ces conceptions si envahissantes, si totalitaires, si manichéennes (Hitler les fera siennes), chaque artiste allemand est contraint de définir une conduite. Collaborer ou non avec l'obscurantisme le plus amoral, voilà le choix.

« *La musique. Oui. Enfin pas Wagner en tout cas. Celui-là on l'entendrait au fond de la mer* » dit le docteur. « *Moi, je pensais à Mozart* » répond le roi Louis 1er de Bavière... Le dialogue (de *Lola Montès*) suffit à témoigner du choix ophulsien : contre le musicien des forces du noir se dresse la stature du tragédien intime et fraternel de « L'Enlèvement aus sérail » ou « La Flûte enchantée[6] ». Si détesté par Wagner, l'« Aufklärung »[7], l'humanisme des lumières, féconde l'œuvre de Mozart comme celle de Goethe, l'autre grande figure emblématique qui règne sur le cinéma d'Ophuls. Omniprésente, l'influence de « Faust »[8] ne doit pas étonner : mémoire vivante de la culture germanique, la production goethéenne est un vivier où la plupart des écrivains, peintres, musiciens ou cinéastes allemands viennent puiser les forces nécessaires à la création. Sa valeur symbolique peut paraître incompréhensible aux communautés qui aiment à définir leur culture comme le résultat d'une longue et fructueuse évolution au cours de laquelle les influences se sont fondues harmonieusement dans le cadre national. Outre qu'en décrétant seuls modèles dignes d'êtres étudiés les écrivains du siècle

6. Eternel retour du même que ces thèmes de Mozart qui reviennent dans *Liebelei, Lettre d'une inconnue, Le Plaisir, Werther, Lola Montès*... Sur le projet d'un film autour de Don Juan, cf infra p.219 Georges Annenkov rapporte qu'Ophuls possédait un exemplaire annoté du « Mozart » d'Arthur Schurig (Leipzig, 1913) que Jean et Brigitte Massin, dans leur ouvrage de référence (« Wolfgang Amadeus Mozart », Fayard 1973) qualifient de « biographie importante » (Annenkov, op. cit. p. 75).
7. Aufklärung : Equivalent allemand de notre Philosophie des Lumières, en laquelle Wagner voyait le vecteur de contamination de la pensée allemande par les démons juifs...
8. Dans sa postface à l'autobiographie de son mari (« Spiel im dasein, » Henry Goverts Stuttgart 1959, trad. française, « Max Ophuls par Max Ophuls », Laffont 1963), Hilde Ophuls rapporte que « *les heures où Max nous lisait du Goethe restent parmi les meilleurs souvenirs de Hollywood (...) un soir (...) notre fils (...) nous dit :* "Est-ce que vous sentez vraiment à quel point *Faust est émouvant ?" (...) Je regardai mon mari : il rayonnait* » (p.228-229). Selon Beylie (op. cit. p. 128) sur la table de chevet du lit de mort d'Ophuls figurait un exemplaire du « Faust » « *ouvert à la page de la conversation avec Wagner :* "Regarde comme les toits entourés de verdure étincellent aux rayons du soleil couchant. Il se penche et s'éteint le jour expire, mais il va porter autre part une nouvelle vie". »

de Louis XIV, la France de la Restauration a figé dans le marbre quelques-uns des plus beaux textes de la littérature, la richesse de « Faust » lui échappa à peu près complètement. Pour saisir toute la portée des vers de Goethe, il faut songer à l'Allemagne éclatée d'avant le formidable élan du « Sturm und Drang »[9] pays divisé en petits comtés, sans littérature commune, sans projet national... L'éclosion des idées de Rousseau projette dans un même mouvement les intellectuels et les artistes vers une utopie commune où la langue tient lieu de facteur de réunification. Goethe et Schiller fondent un classicisme traversé par les récits populaires, ces dits propagés de comté en comté par des acteurs ambulants, qui traduisent la présence de légendes et mythologies surgies de l'imaginaire commun des pays germaniques.

Mais de ce creuset où en un demi-siècle se fond l'unité allemande, surgit le sinistre concept de « Volksgeist » (esprit du peuple), celui-là même qui servira les noirs desseins de Wagner et, plus tard, de l'idéologie nationale-socialiste. Heureux mariage entre création spontanée et admirable virtuosité, le « Second Faust » traduit les contradictions d'une époque où ténèbres et lumière cohabitent en pleine renaissance de l'esprit. Ophuls se désespérait de voir son fils insensible aux beautés profondes de l'œuvre de Goethe[10] : il est vrai que la signification que cette dernière n'a cessé de prendre au fil des décennies rend plus provinciale encore l'obsession classique à la française...

Car la réflexion sur l'état du monde qu'elle propose se donne comme objet de sens : le spectacle est un instrument de connaissance, et la liberté est inaccessible à l'ignorant, pense Goethe avec les Lumières. La méditation ophulsienne, qui ne cesse de s'intéresser à l'Europe bourgeoise de la fin du siècle dernier pour mieux en sonder les aspirations et les réalisations, fait de l'histoire des mœurs une histoire de la civilisation tout autant qu'une philosophie de l'histoire. Pour elle, sentir c'est connaître, et l'initiation au plaisir qu'elle propose parfois vise à placer dans une lumière nouvelle les vieux ressorts de l'action humaine. La pénombre des âmes chère au romantisme, l'exaltation de l'imaginaire dans lesquelles se complaisent les avant-gardes, le spectacle total de nouveaux rituels vides de sens, elle les considère avec méfiance et s'en détourne. Au contraire de toutes ces manifestations qui servent l'esprit dominant, elle affirme que les sentiments s'inscrivent bien dans un espace réel, concret, social, culturel et politique. Elle revient aux vérités premières énoncées par les Lumières en leur ôtant le travestissement que la société bourgeoise leur a imposé pour mieux dérober aux regards l'espace originel d'une révolution rentrée dans son lit. Elle démasque donc impitoyablement la grande peur qui stigmatise l'extravagance « baroque » et qui instaure la notion d'exemplarité classique tout en créant le mythe du dix-huitième siècle charmant et frivole. Cette peur devant l'expression concrète des sensations et aspirations de l'individu surgit

---

9. Littéralement « Orage et Passion ». Mouvement littéraire et musical qui se développe en Allemagne autour de 1770. En réaction au rationalisme de l'Aufklärung, ses buts sont de recourir aux émotions brutes pour mieux affirmer l'attachement de la nature humaine à la liberté du corps et de l'esprit. Il prend vite un tour patriotique (Herder, Grimm), et se teinte parfois d'un mysticisme (Hamann) avouant sa haine de toute raison.
10. cf. Hilde Ophuls, op. cit. p. 228-229 et ci-dessus n. 8.

dès que celles-ci se manifestent dans le domaine réel de l'existence où la vie ignore la représentation sociale soumise au bon vouloir des apparences et du crédit.

Ce faisant, elle agit encore aujourd'hui — et ce n'est pas le moindre de ses mérites — comme un cruel sérum de vérité. Car dans notre univers où « *le clip a eu raison de la conversation* »[11] le spectacle total, le spectacle pour le spectacle (« *qui renvoie essentiellement au vide des valeurs* »[12] dirait Hermann Broch) qui atomise le moi en une myriade d'images plus insignifiantes les unes que les autres, le spectacle si attaché à séparer passion et raison, sentiments et réalités concrètes, imaginaire et esprit, a triomphé par le biais des machineries audiovisuelles. « *L'univers du discours (...) remplacé par celui des vibrations et de la danse* »,[13] Wagner peut sourire. Les grandes messes télévisuelles (informations, divertissements, « séries » d'une médiocre facture), imposant leur cérémonies dérisoires à des millions de fidèles fascinés, signent la victoire d'une conception dégradée de l'art total. : musique, texte et images se fondent dans une même action de montrer dont la pulsation interne capte dangereusement les énergies d'une société sans projet et malade de sa culture[14]. Ainsi détournées vers le néant, les forces vives des individus abandonnent la pensée sur les rivages de la fatigue.

L'ironie douloureuse et sans éclat de l'art ophulsien rend négligeable toute cette agitation en même temps qu'elle en révèle les dangers. C'est assez pour que sa modernité nous apparaisse comme une vertu, non comme un état. « *L'art sert à nous essuyer les yeux* »[15] disait Karl Kraus.

11. Alain Finkielkraut, « La Défaite de la pensée », Gallimard 1987, p. 162.
12. Voir « Hoffmanstahl et son temps » dans « Création littéraire et connaissance », Gallimard 1985, pp 47-98.
13. Finkielkraut, op. cit. p. 162.
14. Voir la série d'articles « Des politiques malades de leur culture », *Le Monde diplomatique*, Juin-décembre 1987..
15. « Dits et contredits », Champ libre 1975, p. 102.

I

L'ARABESQUE EN LIBERTÉ

RAYMOND VOINQUEL PARIS

Tournage de *Lola Montès*

La naissance d'Ophuls (alors Oppenheimer), le 6 mai 1902, se place sous le signe de la double appartenance. Pays de langue germanique, la Sarre est le théâtre d'un constant brassage frontalier : les revendications nationalistes paraissent dérisoires face au métissage culturel, et si le territoire change de mains au gré des guerres, c'est que la population n'a pas voix au chapitre. Le référendum du 1er mars 1935 qui consacre son rattachement à l'Allemagne nationale-socialiste pourrait être significatif si l'on ne connaissait pas l'efficacité de la propagande hitlérienne et sa capacité à entraîner les masses loin des domaines de la raison.

Sans doute, à Sarrebruck, ville où les parents du petit Max figurent en bonne place au sein de la bourgeoisie juive, est-on germain avant d'être latin. Ce légitime sentiment d'appartenance à une communauté n'exclut pas les relations de bon voisinage, et en Sarre comme tout au long de la frontière séparant la France et l'Allemagne, l'activité professionnelle définit les hommes au moins autant que la langue. L'industrialisation forcenée n'a bouleversé qu'en apparence des modes de vie peu accoutumés à la reconnaissance des limites arbitrairement fixées séparant les états, mais la mobilité des individus qu'appelle l'économie moderne donne à la région un caractère plus affirmé de zone de passage. Une géographie assez rude où les teintes sombres du grès se marient à celles des forêts de sapins suffit à inciter le voyageur en transit à continuer sa route vers la douce lumière des pays rhénans. Ce terroir appelle l'évasion.

Max Oppenheimer n'a aucun goût pour les activités du « trust familial »[1] dont dépend son père (une grande entreprise de confection), et choisit le théâtre. Rebaptisé Ophuls par un de ses professeurs (Fritz Holl), il commence par parcourir l'Allemagne en tous sens, se créant un répertoire considérable. Comme de nombreux autres jeunes gens aisés qui jouent à l'acteur, il est prompt à s'enflammer pour tous les clichés du romantisme finissant et à suivre les avant-gardes avec enthousiasme.

Interprète, il ne connaît pas la gloire : le succès survient enfin dès ses premières mises en scène. L'attitude frénétique et exaltée du second rôle promu ordonnateur de spectacle tend à la boulimie. Dans la première partie de ses mémoires[2], Ophuls évoque non sans ironie ces années de formation, où les pièces expressionnistes sont remplacées le soir d'après par des comédies de boulevard bien dans le goût du temps. Meilhac et Halevy[3] succédant à George Kaiser[4], voilà qui en dit long sur la capacité d'absorption d'un public abonné au théâtre comme aux magazines de mode ! Financées par les contribuables, les troupes liées aux établissements d'état peuvent se permettre bien des expériences. Autant de « *maladies de la puberté* »[5] (ainsi Ophuls définit-il l'expressionnisme) qui amusent le bourgeois préoccupé de voir la scène comme lieu de pur spectacle, loin des tracasseries de la vie...

Au même moment se mettent en place les structures matérielles qui favoriseront l'émergence du national-socialisme et l'Allemagne contemple l'agonie de la République de Weimar. Dans l'esprit du public, la classe politique est un ramassis de mauvais acteurs éloignés de la réalité. La scène sur laquelle elle s'agite le dispute souvent à celle du théâtre, son éloignement du domaine concret paraissant au moins aussi grand. Schéma bien connu, suivant lequel les forces de l'irrationnel (celles précisément, agitées par Wagner et sa clique) s'introduisent peu à peu dans la vie de la cité à la faveur d'un dépérissement général de la lucidité des citoyens.

Comme des milliers de jeunes gens de son époque, Ophuls témoigne d'une totale inconscience politique : sa vision de l'artiste doit tout aux niaiseries romantiques qui font du créateur un être unique à l'écart de la société. Lance-t-il avec candeur l'idée d'une réconciliation entre la France et l'Allemagne, il avoue se préoccuper de l'effet public de ses discours, ignorant délibérément leurs éventuelles conséquences pratiques[6]... Cette dangereuse ingénuité, celle de l'amour du théâtre pour le théâtre, se révélera le jour venu inca-

1. Max Ophuls, « Spiel im Dasein », Henry Goverts 1953, trad. française par Max Roth dans *Les Cahiers du cinéma* n° 177 sqq, repris en un ouvrage op. cit p. 35.
2. id. pp. 49-104.
3. Henri Meilhac (1831-1897) et Ludovic Halevy (1834-1908), deux des plus célèbres représentants de l'esprit du boulevard, ont écrit nombre de vaudevilles à succès et sont aussi les auteurs des plus célèbres livrets qu'Offenbach ait mis en musique (*La Vie parisienne, La Belle Hélène*).
4. George Kaiser (1878-1945), auteur de « Jeux d'idées » (Denkspiele) construits autour des grands problèmes sociaux de son époque, a vu ses pièces interdites par les nationaux-socialistes dès 1933.
5. Ophuls, op. cit., p. 65.
6. id., p. 69-71.

pable de contenir les forces du cauchemar en plein déferlement sur la scène de la vie. A l'image de beaucoup de grands artistes germaniques, Ophuls a toujours cru à la luminosité naturelle de l'Allemagne décrite par Goethe et unifiée par la puissance de sa langue. Il découvre avec effarement qu'un « mauvais acteur » (Hitler) peut surgir dans l'espace vide d'une conscience nationale polluée par quelques vieux mythes spectaculaires. Il s'aperçoit aussi qu'aucun système de valeurs ne s'oppose à cette exploitation des plus obscurs instincts de l'homme, et que les émeutes de rues ou les manifestations de nationaux-socialistes revanchards qui perturbaient la bonne marche de ses représentations possèdent un sens qu'il n'avait jamais soupçonné. Le metteur en scène à la mode qui avait jusqu'alors confortablement assumé sa gloriole, cède le pas à l'individu conscient de s'être trompé sur l'état du monde. Il est hélas trop tard.

Personne n'échappe à son rôle : on a vu ce qui conditionne l'apparition du metteur en scène dans la société industrielle de la fin du XIXème siècle[7]. D'autres qu'Ophuls connaîtront cette assignation mentale à résidence que propose un univers préoccupé de confondre imaginaire et divertissement. Que l'on songe seulement aux tempêtes obscurantistes déchaînées par des mises en scènes attachées à dévoiler les significations historiques des œuvres ! Encore aujourd'hui, réduire Wagner à sa véritable dimension théâtrale (comme le fit Chéreau à Bayreuth) ou révéler celle de Molière expose aux foudres des bien-pensants pour qui l'art est chose à accrocher aux murs. Ceux-là veulent un metteur en scène apte à leur servir la potion de l'innocence ou l'élixir de l'infini. En son temps, le jeune Ophuls n'a pas dû les décevoir.

Il serait commode de prétendre que le cinéma change radicalement le cours des choses, que dix ans d'errances sur les plus grandes scènes allemandes connaissent enfin l'accomplissement par la grâce de *Liebelei*, l'œuvre-diamant dont la célébrité a servi Ophuls tout au long de sa carrière. Mais rien n'est si simple. « *Sans le théâtre, que serions-nous ?* » s'interroge la comédienne de *La Ronde*. « *Sans le théâtre, que serait le cinéma ?* » s'interroge le metteur en scène débutant qui pénètre dans les studios de la UFA, au début des années 30. Il s'apercevra bien vite que l'industrie du film ne menace en rien l'univers plus artisanal des planches et, mis en confiance, délaissera le théâtre afin de s'engager avec enthousiasme dans sa nouvelle carrière. Pour une grande compagnie, son expé-

7. cf. supra p. 12.

rience est un précieux capital. A l'orée du parlant, les cinéastes sont conduits à inventer de nouvelles formes de dramaturgie, sacrifiant une partie de leur maîtrise de l'image à l'expressivité de la parole. Vierge de toute pratique, Ophuls ne conçoit pas le cinéma indépendamment du verbe et découvrira donc progressivement la composante picturale de son art. Confronté aux exigences de l'image, le théâtre ne peut plus constituer un absolu. Dans l'esprit du jeune et fougueux metteur en scène, un équilibre se réalise : obligé entre autre de mettre en valeur les « talents » d'actrices incapables de donner vie à un texte[8], il doit chercher ailleurs que dans la stricte dramaturgie les moyens d'offrir au public un divertissement cohérent. L'expression plastique sert à canaliser le flot de l'inspiration théâtrale.

Une vue d'ensemble de sa carrière oblige à constater qu'après *Liebelei* (1933), tout semble se dégrader, comme si le bel équilibre entre les composantes ne pouvait plus se réaliser. Trop de voyages, trop d'incertitudes devant le péril nazi ? Sans doute. Mais le chef-d'œuvre des années 30 est une étape parmi d'autres, étape significative, nécessaire et non suffisante. Ophuls apprend que les conditions de production influent sur l'esthétique bien plus qu'il n'aurait pu le supposer. Après un échec public (celui de la *Tendre ennemie*, en 1936), cet amoureux des dialogues ciselés avec précision doit réaliser un mélodrame au scénario d'une écrasante niaiserie (*Yoshiwara*). Dépassé par la présence d'acteurs japonais totalement ignorants de la langue française, il éprouve cruellement les limites de ses possibilités. Les secousses de la guerre perturbent de plus en plus les tournages (en souffrent *Werther*, *Sans lendemain* et *De Mayerling à Sarajevo*), montrant à l'évidence qu'en des temps où l'intendance ne suit plus, la survie du cinéma devient précaire. Le mot passe là où l'image s'arrête, voilà l'ultime découverte d'Ophuls qui ne peut mener à bien son projet de filmer la troupe de Louis Jouvet au cours d'une tournée en Suisse.

De préoccupante, sa situation devient précaire lorsqu'il débarque à Hollywood en 1941. Sa réputation théâtrale ? Inconnue. La renommée de *Liebelei* ? Singulièrement lointaine. A presque quarante ans, il doit survivre dans la gêne et l'humiliation pendant quatre années. Au bout du tunnel l'amertume, la lucidité, et un chef-d'œuvre : *Lettre d'une inconnue* (1948).

Ses illusions sur le métier de cinéaste ont disparu. Les textes qu'il publiera plus tard[9] témoigneront de ses difficultés face aux

8. Ophuls, op, cit., p. 126.
9. « Hollywood petite île », *Cahiers du cinéma* n°54, Décembre 1955. « L'art trouve toujours ses voies », *Cahiers du cinéma* n° 55, Janvier 1956. « Mon expérience » et « Les infortunes d'un scénario », *Cahiers du cinéma* n° 81, mars 1958. Cf. infra p. 168.

exigences techniques toujours plus pesantes de l'industrie cinéma-tographique. Economiquement, il reste étranger (contrairement à Lang ou Lubitsch, plus pragmatiques) à l'esprit des grands studios. Des quatre films réalisés en Amérique, entre 1947 et 1950, seul *Lettre d'une inconnue* semble lui apporter quelque satisfaction. *The Exile, Caught* et *The Reckless Moment* ne sont qu'« affaires sûres », liées au commerce qu'il dédaigne. Son rôle ne lui plaît guère : entre le metteur en scène de théâtre perdu dans les nuées de l'art pour l'art et le professionnel hollywoodien chargé de diriger une équipe de techniciens, l'abîme est vraiment trop grand. Il doit bien exister, pense-t-il, un espace où la technique ne vient pas endiguer l'inspi-ration au point de la tarir... Rêvant aux pionniers du cinéma, il cherche à se dégager d'une emprise croissante et décide de retour-ner en Europe.

La Ronde (1950), *Le Plaisir* (1952) et *Madame de...* (1953) le ré-vèlent à son apogée. Mais l'unanimité publique ou critique est loin d'être totale. Sans amertume, Ophuls constate que « *la foule n'a plus aucune patience esthétique* »[10]. Il a parfaitement conscience d'être un metteur en scène estimé des producteurs pour ses qualités esthétiques, mais craint des financiers en raison des budgets impor-tants qu'il réclame et de ses délais de tournage. D'année en année, le regret des planches se fait plus vif. Dans un monde en pleine ac-célération technologique, le rythme artisanal n'est plus de mise et la formidable énergie qui avait permis au jeune metteur en scène de la UFA d'être au diapason de son époque s'est depuis longtemps mise au service de l'équilibre entre les composantes de son cinéma : dra-maturgie et plasticité se combinent dans *Madame de...* comme au cœur des plus beaux rêves de classicisme. La couleur, le cinémas-cope, obligent une fois de plus l'esthétique à se remettre en cause. Guère payée de retour, l'intense activité qu'Ophuls déploie pour réaliser *Lola Montès* le laisse à bout de souffle. Pourtant, il préfère regarder vers l'avant et avouer à Truffaut et Rivette « *son désir de raconter des histoires en les domptant* »[11]. Il veut aussi prendre le temps de se retourner pour contempler ce qui a changé en lui.

Tout naturellement, c'est vers le théâtre qu'il regarde. Beaumar-chais (dont il adapte la version allemande du *Mariage de Figaro*) inaugure son retour à la scène : mais si le triomphe est total, il n'en perçoit que les échos. Entré le matin de la première dans une clini-que de Hambourg, il y meurt trois mois plus tard le 26 mars 1957. A quelques centaines de mètres de là, le Schauspiel Theater fait

10. Entretien avec Max Ophuls par François Truffaut et Jacques Ri-vette, *Cahiers du ciné-ma* n° 72, Juin 1957. Cf infra p. 210.
11. id. cf infra p. 203.

23

salle comble. On y fête chaque soir les retrouvailles franco-allemandes que le jeune acteur romantique nouvellement baptisé Ophuls avait appelé de ses vœux. L'homme mûr, son rêve réalisé, reste à la porte du théâtre : admirable et cruelle ironie de l'existence, pour lui qui regrettait le caractère « définitif » du cinéma. Privée des derniers applaudissements, la représentation de sa vie est un peu inachevée.

Que nous apprend-elle ? Rien que nous ne sachions déjà sur la nature du cinéma. La complicité objective d'Ophuls avec l'univers du théâtre romantique allemand et celui de la « Gesamtkunstwerk » ne s'étend pas au-delà des planches. Par chance, les nécessités du cinéma parlant le conduisent plutôt à développer son goût des choses bien dites. Dans son esprit, l'image se constitue autour du texte qu'elle sert et l'autonomie qui lui est parfois accordée ne doit jamais remettre en cause la signification globale de l'œuvre. Homme de théâtre, il sait que toute dramaturgie est fonction de la plus extrême précision, mais que cette précision elle-même s'exerce sur des idées appartenant au domaine de la réalité. La neutralité est impossible à l'ordonnateur d'un spectacle : celui-ci ne saurait être au-dessus des lois et des aspirations de son temps. L'obscure synthèse rêvée par Wagner plaisait à un public pour lequel l'action de mettre en scène ne renvoyait qu'à elle-même. L'espace de la scène n'était plus que le lieu d'un rituel où tous les arts communiquaient à travers de multiples références dont aucune n'était assez précise pour prendre sens dans la réalité. Les vertus de la circulation remplaçaient celles de la signification. Sans cesse, Ophuls va s'attacher à démasquer l'hypocrisie d'un tel système et le vide des valeurs qu'elle traduit.

En vrai primitif du cinéma parlant, il conçoit l'image comme un lieu de rencontre entre plusieurs niveaux de signification (plastiques, musicaux, verbaux), dont toute la richesse est de communiquer sans se détruire mutuellement. Son art vise à rendre indissociables le mouvement et le sens, non à donner à chaque mouvement son sens : vouloir le déchiffrer par bribes, sans prendre garde au dialogue intime des formes entre elles, expose à ressentir la gratuité de l'effet là où ce dernier renvoie aux profondeurs de l'être. Si présente, si ostentatoire, si remarquée, l'arabesque dont use (et abuse, disent les détracteurs) Ophuls est l'incarnation parfaite d'un mouvement et d'un malentendu. Mouvement grâce auquel les personnages traversent le cadre sans effort apparent, malentendu qui fait de cette facilité l'expression d'un désir de filmer immédiatement satisfait,

Simone Simon dans *Le Plaisir* (Le Modèle)

comme si le metteur en scène devait calmer ses pulsions en s'accordant le droit à une sorte d'onanisme visuel dont il se griserait sans retenue… Intituler une œuvre *Le Plaisir*, voilà qui serait alors révélateur !

Figure ornementale, l'arabesque est utilisée à l'âge baroque pour permettre aux formes de s'inscrire sans heurts dans l'espace visuel. Elle propose à l'œil de suivre la continuité complexe des métamorphoses de la matière. Edifices, sculptures, peintures, toutes les productions artistiques se soumettent à la dictature de la ligne courbe, toutes parviennent à ménager autour d'elles un espace de clarté destiné à favoriser la compréhension sensible des hommes qui les contemplent. La lumière ne se brise plus sur différents plans mais circule de volume en volume, provoquant l'activation des sens, incitant à une communion sensuelle avec les masses et les modelés. Les zones d'ombres semblent disparaître au même rythme que se propagent les reliefs incurvés, et l'apparent désordre des volumes (si perceptible dans les églises autrichiennes !) excite un peu plus encore un esprit dont la sensiblité se développe au fur et à mesure que reflue la terreur sacrée inspirée par l'élévation vers le surnaturel.

Mais, peu à peu, le sentiment religieux cède la place au sentiment tout court : l'idée se fait jour que sentir c'est aussi connaître. Au dix-huitième siècle des lumières l'individu s'éprouve progressivement libéré d'un pouvoir fondé sur la transcendance. L'arabesque se détache de son rôle significatif — permettre l'accession à Dieu à travers l'espace sensible — pour retrouver sa fonction ornementale. Elle triomphe avec le rococo, ce style européen à usage domestique qui fait du sentiment une enluminure de la vie. Signe du plaisir un peu superficiel auquel s'adonne l'artiste, elle devient au dix-neuvième siècle bourgeois l'emblème des salons bien meublés et des murs bien décorés. Elle ne saurait plus renvoyer alors qu'à une frivolité éloignée des choses « sérieuses », celle d'un Mozart ou d'un Marivaux écoutés et lus à travers la légende de « ce siècle de la douceur de vivre » (Talleyrand). Elle est le signe de toute une mythologie du divertissement dont se gargarise l'Europe industrielle livrée aux troubles idées de la Restauration. Une étape encore, et elle peut disparaître à tout moment lors de la condamnation prononcée au nom de la morale par des républiques succèdant aux régimes corrompus ou agonisants des derniers autocrates. Liée au scandale comme le plaisir gratuit dont elle semble signifier la présence, elle est taxée d'amoralité. Tout artiste qui l'a employée est étiqueté

26

« frivole » ou « galant » dans le meilleur des cas, « maniéré » ou « superficiel » dans le plus mauvais.

Ainsi se mettent en place les conditions de la méprise. Le regard d'un créateur est chose construite : les plasticiens disposent d'un ensemble de figures qui leur permet de dialoguer avec le réel par le biais de la représentation. Accorder une valeur morale à l'utilisation de l'arabesque revient à rendre incompréhensible le dialogue en le pervertissant. Si elle participe d'une manière essentielle au plaisir de voir comme à celui de filmer, c'est que la figure-mère des films d'Ophuls est le mouvement même de la vie, en même temps que la méthode de connaissance sensible de ce mouvement. La difficulté du cinéma est que l'adéquation entre le tempérament du metteur en scène et celui de ses personnages s'y remarque immédiatement. Personne, évidemment, ne se préoccupe de savoir si le pinceau de Watteau possédait une vie aussi mouvementée que le laissent supposer les reflets violents dont s'habillent les acteurs de « L'Amour au théâtre italien », les femmes de « L'Assemblée dans un parc ». La caméra d'Ophuls se propose de décrire une existence faite d'émotion et de sensations, en usant principalement d'une figure dont l'une des vertus est d'activer les sens. Faut-il y voir pour autant l'indice d'une complicité extrême qui ôterait toute possibilité de distanciation, la proximité du trait soulignant lourdement les caractères ? Ce serait évidemment compter sans les qualités dynamiques de la ligne courbe, celles qui permettent avant tout à la lumière et aux volumes de circuler sans être déchirés, donc d'échapper (au hasard d'une intersection, par exemple) à leur trajectoire pour en rejoindre une autre. Ainsi, l'espace où se croisent les arabesques n'est que mobilité : la multiplicité des mouvements traduit le caractère alternatif des existences soumises aux élans du cœur. Comment croire l'appareil de prises de vues capable de s'attacher à l'une de ces vies au point d'en singer tous les frémissements ? A chaque instant, une infinité de transports lui échappe. De l'être saisi au vol dans l'une de ses trajectoires, il ne retient que quelques parcelles. Ecailles d'un papillon, tout au plus.

Ce sont elles qui excitent les hommes, les engagent à poursuivre leurs compagnes soumises aux délices de la ligne sinueuse. Le monde d'Ophuls s'éprouve dans et par le plaisir, mais tous les personnages doivent conquérir la jouissance en s'initiant au déplacement le long de la courbe. Beaucoup de mâles s'y refusent, et leur désir finit par disparaître à la vue d'une féminité libre et inventive.

Will Quadflieg (Liszt) et Martine Carol (Lola Montès) dans *Lola Montès*

Par peur d'être entraînés dans une aventure qu'ils ne maîtrisent pas, ils préfèrent abandonner leur partenaire à ce qu'ils imaginent sans rien comprendre être caprice d'un soir ou égarement d'un instant. D'autres sont là pour prendre le relais et la chaîne se forme tout au long de l'arabesque féminine. Au hasard des rencontres, l'intersection de multiples lignes peut déterminer un cercle : la physique ophulsienne lui imprime le mouvement de la vie pour mieux le transformer en ronde. Celle-ci absorbe toutes les énergies jusqu'à épuiser les danseurs et les rendre immobiles. Alors seulement la mort étend son règne : épuisés, les personnages paraissent lassés d'un jeu soumis au bon vouloir du maître des arabesques. A tout instant, l'ennui menace de renvoyer l'existence à son néant et à sa vacuité. « *Notre âme est lasse de sentir : mais ne pas sentir, c'est tomber dans un anéantissement qui l'accable* »[12] disait Montesquieu : on ne saurait mieux définir l'éthique qui gouverne un tel univers.

12. « Essai sur le goût ».

28

II
ANECDOTES ET FIGURES

Danielle Darrieux (Tournage du *Plaisir*)

En définitive, les amateurs de rococo ont de quoi être inquiets. Car l'arabesque semble s'échapper des meubles ou des tableaux pour venir mettre en lumière d'éternels tourments dont le dix-huitième siècle ne possède pas l'exclusivité. Barthes — dans les « Mythologies »[1] — a bien montré que la mentalité bourgeoise est attentive à l'anecdote et délaisse le texte significatif. De la première, elle ne retient que le contenu, le dissociant de la construction formelle. Du second, elle cherche à atténuer les effets : ce qui est littéral s'efface devant ce qui est littéraire. Les films d'Ophuls admettraient assez bien que la raison se satisfasse d'une simple homogénéité des apparences. Lieux et personnages appartiennent à l'histoire récente de l'Europe : guère d'autres sujets que les peines de cœur, guère d'autre objet que d'en étudier minutieusement les conséquences sur la gent féminine. Les historiettes choisies ont tout pour plaire à un public qui croit au sentiment comme à une valeur refuge, étrangère à la vie concrète. Tout se gâte lorsque la signification des émotions se révèle et vient perturber l'univers rassurant des choses matérielles. D'apparemment simples (scénarios sans surprises, souvent brillants, parfois anodins), les formes deviennent incernables, témoignent tout à coup « *d'un ailleurs étranger au langage même qui le cherche* »[2].

Cet « innommable » fonde l'œuvre d'Ophuls : fait de figures, cadres, lumières ou mouvements d'appareil, il s'identifie assez aisément à une rhétorique dont notre écriture, à défaut de pouvoir défi-

1. Ed. du Seuil, coll. Points 1970. Voir notamment *La Littérature selon Minou Drouet, l'Art vocal bourgeois, La grande famille des hommes.*
2. id. p. 159.

33

nir les contours précis (le verbe n'équivaut pas à l'image, pas plus que l'image ne saurait rendre compte du verbe), peut tenter de pénétrer la logique. L'examen du littéral dispense-t-il de celui du littéraire, ou en d'autres termes l'exploration du paysage des figures doit-elle occulter celle de l'univers des anecdotes ? Aucun art, évidemment, ne saurait voir les formes être le sujet d'une méditation sur l'état du monde : mais il faut se garder de confondre le « sujet » et « l'histoire ». Savoir discerner le moment venu l'espace ou le laps de temps au sein duquel se constitue le « je » artistique n'implique nullement que l'on se désintéresse de l'anecdote, mais demande aussi que l'on s'en détache, tout en conservant d'elle les traces nécessaires afin que le discours sur les formes puisse se déployer sans sombrer dans le formalisme.

Ces traces pourraient bien être les personnages. Objets d'une mise en formes (celle du cinéaste), en parler allusivement, comme s'ils n'étaient que les figures parmi d'autres d'une narration qui les domine, serait les réduire à l'état de choses. Inversement, supposer d'eux qu'ils possèdent suffisamment d'épaisseur anecdotique pour que leur existence soit évidente et ait dispensé le metteur en scène d'un travail sur la matière dont ils sont constitués (paroles, attitudes, mouvements), serait leur reconnaître une rente de situation dont ils ne bénéficient guère. Or, si Ophuls a tant séduit le Truffaut qui vitupérait contre les « *films de scénaristes* »[3], c'est justement grâce à cet art de la rhétorique qui consiste à conférer aux figures d'un style social suffisamment de densité plastique pour qu'elles se constituent en sujets de films : ici, le cinéaste de *La Peau douce* a retenu quelques leçons de celui de *Madame de...*

Comment faire connaissance avec ceux dont le mouvement des formes révèle l'existence, comment les rencontrer hors de ce qui les fonde, leur permettre de laisser dans notre mémoire — et dans celle du lecteur — une trace suffisamment conséquente afin qu'ils puissent trouver matière à s'incarner dans le continu du discours littéraire ? De prime abord en refusant de les dissocier d'eux-mêmes, c'est-à-dire de l'autre car Ophuls parle d'amour, de plaisir et de bonheur, toutes choses qui sont rarement vécues dans la solitude absolue : aussi est-il question de couples. La Fiancée et le Fiancé (*La Fiancée vendue*), Christine et Fritz (*Liebelei*), Divine et le Laitier (*Divine*), Charlotte et Werther (*Werther*), Liza et Stephan (*Lettre d'une inconnue*) Léonora et Ohlrig (*Caught*), Le Peintre et le Modèle (*Le Plaisir*, troisième partie), Madame de et Le Général (*Madame*

3. Op. cit, cf. supra n. 6 p. 8.

Louis Jourdan (Stefan) et Joan Fontaine (Liza) dans *Lettre d'une inconnue*

de…). Galerie évidemment incomplète car la solitude existe aussi, surtout après l'amour au moment où le bonheur disparaît (pour le plaisir, nous le verrons, c'est une autre histoire) : tous les personnages de *La Ronde* (successivement le Meneur de jeu, la Fille, le Soldat, la Femme de chambre, le Jeune homme, la Femme mariée, le Mari, la Petite, le Poète, la Comédienne, le Comte), le Masque (*Le Plaisir*, première partie), la Patronne et les Filles de la Maison Tellier, Joseph Rivet (*Le Plaisir*, deuxième partie), et Lola Montès… Voilà pour les noms.

Peuplons l'espace de visages et de corps, distribuons les rôles et organisons les situations. L'art d'aimer ophulsien se vit dans la difficulté : de communication amoureuse, il est sans cesse question (si on voulait absolument trouver un « sujet » commun à tous les films, le voilà), mais le dialogue s'établit avec difficulté. Dans *La Fiancée vendue*, Marie (La Fiancée, Jarmila Novotna) est cédée contre argent à Wenzel (Le Fiancé, Paul Kemp), au vu et au su de son amoureux Hans (Willy Domgraf-Fassbaender). Deux pour s'aimer, un pour

Charles Boyer (le Général), Danielle Darrieux (Madame de) et Vittorio de Sica (Fabrizio Donati) dans *Madame de...*

observer et (éventuellement) agir, voilà quelle est la cellule développée de *Liebelei* à *Madame de...* Il y a bien deux couples, dans *Liebelei*, mais seul celui formé par Christine (Magda Schneider) et Fritz (Wolfgang Liebeneiner) est confronté au baron (Gustaf Gründgens). C'est pour avoir caché à Christine sa liaison avec la baronne que Fritz, après s'être fait tuer en duel par le mari jaloux, provoque le suicide de Christine ; celle-ci ne peut percevoir le sens du non-dit amoureux (Fritz lui avait juré qu'il n'aimait qu'elle...) et ne supporte pas de voir la vérité se révéler une fois l'être aimé disparu. Entre Divine (Simone Berriau) et le Laitier (Georges Rigaud), s'interpose sur fond de music-hall aux coulisses troublées le cruel faux fakir Lutuf-Allah (Philippe Hériat), désireux d'empêcher l'idylle du couple. Tous les hommes qui se tiennent à la pointe aiguë du triangle (celle qui s'interpose, qui blesse et délivre la mort) ont en commun d'être des époux légitimes, respectueux du droit et gardiens farouches du sens commun. Ainsi Albert (Jean Galland) l'homme de loi qui se dresse entre sa femme Charlotte (Annie Vernay) et son secrétaire Werther (Pierre-Richard Willm), imposant presque à ce dernier de se suicider. Ainsi Ohlrig (Robert Ryan), le milliardaire névrosé et ivre de son pouvoir de *Caught*, préoccupé de cloîtrer son épouse Leonora (Barbara Bel Geddes), honteux de la voir chercher un travail pour dissiper son ennui et froidement déterminé à l'empêcher de divorcer afin qu'elle ne puisse pas rejoindre le médecin (James Mason) dont elle s'est éprise. Exercé par l'intermédiaire de l'enfant que Léonora porte en elle, le chantage n'est qu'une perversion de la communication amoureuse... ou n'est-ce pas le produit d'un faux amour (l'enfant) qui incarne cette non-communication (et dès lors cette figure de l'absence doit disparaître, ce qui ne manque pas de se produire) ? Le non-dit, l'impossibilité de voir se dessiner un espace amoureux constitue encore le sujet de *Lettre d'une inconnue* : ici, « *une communication pleine tient lieu d'une absence de communication* »[4]. Stefan Brandt (Louis Jourdan), naguère pianiste de renommée internationale, contemple le déroulement de son existence du point de vue de cet « autre » (Liza, Joan Fontaine) dont il a négligé la présence et qui, au soir de sa vie, lui adresse une lettre. Seul l'oubli peut empêcher que la figure littéraire redevienne femme, émerge dans la conscience pour s'incarner en souvenir. In extremis (et grâce à un personnage secondaire), l'image se formera et Stefan consentira au duel qu'il avait décidé de refuser.

L'ignorance de l'autre prend parfois des voies plus tragiques, plus directes aussi : Joséphine (Simone Simon), le Modèle du *Plaisir*, délaissée par Jean (Daniel Gélin), le Peintre qui privilégiait en elle l'apparence, se jette par la fenêtre d'un atelier. Le couple est réuni, mais à quel prix : paralysée, elle est clouée sur une chaise roulante qu'il pousse. Rien de plus désespéré sans doute que cette figure-là. Lorsque l'absence de communication amoureuse se combine à la cellule triangulaire, tout concourt à ce que la trajectoire de l'héroïne se termine aussi dramatiquement que celle de son amant : l'attitude réservée et contemplative du diplomate Donati (Vittorio de Sica) laisse l'initiative au Général (Charles Boyer), marié à Madame de (Danielle Darrieux). L'itinéraire d'une paire de boucles d'oreilles vendue par Madame de confond les amants, Donati ayant acheté l'objet lors d'un de ses voyages. Provoqué en duel par le Général sous un prétexte futile, il est battu et Madame de ne lui survit pas. Preuve que la communication amoureuse s'était établie malgré tout...

4. Alain Masson, « La gravité du frivole », *Positif* n° 232-233, p. 45.

37

A l'inverse, *La Ronde* accumule les figures du plaisir au fur et à mesure que les couples se forment et se déforment, sans que le sentiment amoureux ait même le temps de se déployer. La Fille (Simone Signoret) est prise par le soldat (Serge Reggiani) dans une encoignure, la Femme de chambre (Simone Simon) sur un banc, celle-ci apaise la fébrilité du Jeune homme (Daniel Gélin) qui l'empêche un temps de satisfaire la Femme mariée (Danielle Darrieux), le Mari (Fernand Gravey) préférant se réserver — tout en abrégant la rencontre — pour la Petite (Odette Joyeux) à qui un Poète (Jean-Louis Barrault) conte des sornettes avant de se satisfaire rapidement avec la Comédienne (Isa Miranda) qui n'a d'yeux que pour le Comte (Gérard Philipe), ce dernier se retrouvant au petit matin dans le lit de la Fille — où il ne s'est rien passé. Triomphe de la figure, que cette histoire où les personnages n'ont guère le temps d'être des sujets à part entière (sinon, de leurs désirs). Du plaisir ainsi consommé à celles qui en proposent la consommation, il n'y a qu'un seuil à franchir, celui de La Maison Tellier où, sous le haut patronnage de Madame (Madeleine Renaud), Rosa (Danielle Darieux), Flora (Ginette Leclerc), Fernande (Paulette Dubost), Raphaële (Mila Parèly), Louise (Mathilde Casadesus) proposent aux notables d'un petit port breton de quoi satisfaire leurs appétits. Une promenade à la campagne assortie d'une visite à l'église pour assister à la première communion de la fille du frère de la patronne (Jean Gabin) leur fera un instant croiser le reflet du vide amoureux dont elles sont chargées de masquer l'importance. Pour qui veut ainsi oublier le néant sentimental, l'agitation perpétuelle est utile : grisé de danses, épuisé, l'homme masqué (Le « Masque », Jean Galland) s'effondre. Un docteur (Claude Dauphin) constate l'âge, et la fatigue. Car l'épuisement est l'inévitable conséquence d'une vie livrée aux silences du cœur, comme le découvre Lola Montès (Martine Carol), convaincue par l'Ecuyer (Peter Ustinov) de donner son existence en spectacle sous le chapiteau du Mammouth Circus. Les liaisons avec Liszt (Will Quadflieg), le roi Louis Iᵉʳ de Bavière (Anton Walbrook) ou l'Etudiant (Oskar Werner) évanouies, ne restent que les battements d'un cœur malade de lassitude. Même si le Docteur (Willy Eichberger) menace d'interrompre le spectacle, celui-ci doit continuer.

Personnages, acteurs, anecdotes... Qu'avons-nous découvert ? Tout au plus un fond, une trame, les traces d'un style. Reste à décrire l'animation des figures, à saisir leur transformation en êtres, sujets de leur propre destinée artistique.

Serge Reggiani (le Soldat) et Simone Signoret (la Fille) dans *La Ronde*

III
AU CŒUR DES TÉNÈBRES, L'ÉCLAT
La Fiancée vendue

La troupe du cirque ambulant de *La Fiancée vendue*

« *On a toujours tort de faire des projets trop précis, songeais-je en assistant à la projection des premières séquences. Dire que j'ai abandonné le théâtre pour le cinéma, uniquement parce que je me passionnais pour le côté « parlant », et voilà que déjà ce côté-là ne m'intéresse plus du tout ! Je ne m'occupe plus que de l'image* », écrit Max Ophuls à propos de sa première expérience cinématographique[1]. La vision de *Dann Schon Leber Lebertran* (1930) laisse sceptique sur cet enthousiasme d'ordre plastique. Un apprenti cinéaste y fait ses classes, n'évitant pas les conventions du théâtre filmé. Un moment assistant d'Anatole Litvak pour le tournage d'une adaptation d'opérette comme le cinéma germanique en produisait par dizaines, il s'initie rapidement à la technique de son art en suivant des cours d'architecture, de photographie, de laboratoire et de montage, généreusement dispensés par la UFA. Même si plus tard il se méfiera des exigences des techniciens, il s'en remet pour l'heure aux conseils de son directeur de la photo, Eugen Schufftan, chargé par la production de le remplacer en cas de défaillance. La féerie bétasse qu'il met en scène est due à Erich Kastner, médiocre auteur de contes pour enfants très en vogue à l'époque. Bien faite pour séduire des adultes réticents à l'idée que les enfants puissent être confrontés à la réalité des choses, elle sert la morale chrétienne dominante pour laquelle pureté du jeune âge et ignorance profonde sont indissociables. L'imaginaire enfantin est réduit à sa plus simple expression comme l'exige le courant naturaliste du XIXème siècle, atta-

1. Ophuls, op. cit. p. 132

43

Dann Schon Leber Lebertran

ché à rétablir les privilèges de l'innocence. A la fois familière et divine, l'enfance est censée refléter une humanité toute proche encore des dieux, et il est fort malséant de penser que la représentation du jeune âge ne restitue pas la meilleure part de nous-mêmes. L'enfant est un vecteur idéal pour faire rire ou pleurer : depuis « Les Misérables », l'apitoiement sur le malheur des pauvres passe obligatoirement par ce petit corps censé concentrer une sorte d'état brut des émotions. Vélasquez, Murillo, Fragonard ou Watteau pouvaient bien avoir peint des tableaux où le sérieux n'était pas l'apanage des seuls nains, Soutine la série des Enfants de Chœur et Egon Schiele ses Portraits, la mémoire collective ne veut retenir de l'âge enfantin qu'une illusoire et irréelle candeur. Face à un tel poids de la tradition, que peut un jeune metteur en scène ignorant tout de son moyen d'expression ? Assurément rien, sinon bâtir la féerie spectaculaire qu'on lui réclame. Mozart aussi fit bien des concessions à l'esprit superficiel et galant de son temps : Ophuls ne se libère pas des obligations sociales du théâtre dès le premier film. Bien mieux, il s'y soumet en toute bonne conscience.

Le spectacle dans le spectacle, le cinéma dans le cinéma, tel est le sujet banal d'une seconde œuvrette guère plus révélatrice. *Die Verliebte Firma*, « *comédie musicale aussi insignifiante que possi-*

44

ble »[2] selon son réalisateur, est un succès commercial d'autant plus important que le tournage s'était déroulé sous le signe de la plus stricte économie. Engagé pour mettre en scène une comédie avec Heinz Ruhmann — acteur célèbre dans l'Allemagne d'alors —, Ophuls se décourage après deux mois de travail sur le scénario, et accepte de réaliser un film au budget squelettique afin de dédommager la société de production. Adaptant son sujet aux exigences économiques, il conçoit le moyen le plus radical pour que tout se déroule avec le maximum d'efficacité : imaginer une action en fonction d'un studio vide de tout décor.

Une anecdote suffit à rendre compte du tournage passablement précipité : « *Dans une scène tout à fait secondaire, une petite dactylo devait regarder par la fenêtre et faire signe à une collègue qui passait dans la cour. Le montage terminé, on voyait la jeune fille se pencher au premier étage pendant que, dans la cour, elle se faisait signe à elle-même* »[3]. Ironique et bientôt tragique signe du monde réel, l'action du film au cours de laquelle une jeune postière prend la place d'une star et épouse un assistant-réalisateur se voit doublée sur le plateau d'une idylle entre l'assistante d'Ophuls (Margaret, fille du chef d'orchestre Bruno Walter) et Helmut Von Neppach, chef-décorateur bientôt promu directeur de production. A l'avènement d'Hitler, le jeune couple se suicide après avoir fui l'Allemagne.

Deux films suffisent à Ophuls pour apprendre les rudiments du cinéma. Persistent en lui, indéracinables, le goût du mouvement et de l'action scénique. Comment va-t-il réussir à les dominer ? Le metteur en scène est naturellement prométhéen, dérobe à la vie un peu de son feu sacré pour le mettre au service du spectacle. Mais sous peine de voir son art s'épuiser à brûler d'un éclat solitaire, il lui faut l'ancrer dans une réalité combustible — celle des traditions culturelles. Jamais le théâtre, au cours de son histoire, ne s'est détaché d'un public ou d'un terroir. Entre lui et eux s'instaure un dialogue signifiant fait d'enthousiasme et de complicité.

Dans le sud de l'Allemagne, les acteurs amateurs perpétuent une tradition moyenâgeuse souvent revivifiée au cours des siècles. Celle-ci rallie autour des tréteaux de l'âge baroque un public convié à participer à la fête ; elle fascine Goethe et lui permet de trouver l'inspiration de bien des scènes du premier « Faust »[4], exerce sur Hugo Von Hoffmansthal[5] une attraction irrésistible qui le pousse à créer en 1923, le Festival de Salzbourg[6]. Indissociable des réalités sociales de l'Allemagne, elle constitue une mémoire collective riche

2. id., p. 138.
3. id., p. 140.
4. Sur ce sujet, voir Henri Lichtenberger, « Introduction au Faust de Goethe », Aubier-Montaigne - 1948, pp XXIII-XXVII.
5. Hugo von Hoffmanstahl (1874-1929), poète lyrique, écrivain et dramaturge autrichien d'une importance considérable en ce qu'il relie la tradition romantique aux cercles de la modernité viennoise. Son doute du langage est combattu par une activité inlassable pour chercher à protéger les valeurs essentielles de la culture autrichienne. La fondation du Festival de Salzbourg en est le témoignage.
6. Voir Un festival à Salzbourg, dans « Lettre à Lord Chandos et autres essais », Gallimard - 1980 pp 294-299, et Michèle Pauget, « L'interrogation sur l'art dans l'œuvre essayistique d'Hugo von Hoffmanstahl », Peter Lang, 1984, pp 474-486.

de mythes ou de légendes, mémoire propagée par les dires et incarnée lors de représentations en plein air.

Le tournage de *La Fiancée vendue* (1930) permet à Ophuls de rencontrer nombre de ces acteurs ambulants. Que découvre le jeune esthète familier des scènes germaniques ? Tout un folklore séculaire où les formes de représentations ne sont pas moins vivaces que celles du théâtre « officiel », celui des villes et des scènes permanentes. Le répertoire, quoiqu'essentiellement germanique, est remarquablement hétéroclite et les versions adaptées des grands classiques de Schiller ou Goethe voisinent avec les fables venues du fond des âges. Mais il s'enrichit aussi de multiples sujets, mi-profanes mi-sacrés, qui témoignent d'une activité religieuse tolérée par le catholicisme, faute d'être intégrée à la liturgie officielle. Cette dernière présence est essentielle. Depuis l'échec de l'humanisme chrétien du dix-huitième siècle, l'Allemagne vit au même rythme que l'Europe la dégradation des formes de la dévotion. La sécularisation croissante de l'église dans les grands centres urbains facilite la dissolution des valeurs du christianisme. En fait, la religion joue les utilités sociales et devient gardienne de la morale bien-pensante. Parallèlement, l'influence de la bible (même traduite en allemand) varie considérablement selon les campagnes, et les retables sculptés par des artisans anonymes ornent bien des autels, signe d'une présence tenace au cœur même du rituel ordonné par Rome. La dévotion populaire aime à s'organiser autour d'une multitude de saints locaux. Colportant parfois l'histoire d'un ou plusieurs de ces bienheureux, le théâtre itinérant traduit les sentiments et les aspirations de la communauté attentive aux paroles ou aux actes mythiques du saint. Le groupe perçoit le sens profond d'un dit aux origines lointaines. Il lui arrive parfois d'en tirer un système de valeurs dont il connaît de toute façon la pertinence fondamentale. Aucun livre ne garde la trace de cette vie retournée au silence sitôt les tréteaux démontés : seules les légendes se transmettent de génération en génération, afin d'assurer la continuité de la tradition.

Face à une telle force du mythe, dissocier le spectacle de la vie devient impossible. Fasciné, Ophuls filme parfois des acteurs évoluant en marge de la raison, tel ce cuisinier spécialiste de la cuisson du boudin blanc prenant tellement à cœur son rôle de sergent de ville qu'il n'hésite pas à réveiller en pleine nuit le maire d'une bourgade isolée pour lui déclarer que, revenant du siècle dernier, il va prendre le pouvoir ! Le metteur en scène, l'homme-orchestre rêvé

par Appia ou Craig, découvre soudain toute la relativité de son importance : le théâtre est bien plus ancien que lui et peut ignorer sa présence pour exprimer le mouvement de la vie. Prométhée perçoit le sens et les limites de sa révolte : le feu qu'il détient et qu'il doit livrer aux hommes, ceux-ci l'ont déjà possédé collectivement. Quant au naturalisme si cher à Antoine, il apparaît bien artificiel et compassé face au poids de réalité incarné par Karl Valentin à qui, selon Ophuls, Brecht lui-même demandait conseil !

Espace ouvert, scène livrée aux pulsions de la vie, adhésion instinctive du public aux mythes fondateurs de la communauté, toutes les conditions du spectacle total semblent réunies : *La Fiancée vendue* aurait pu être le premier de tous ces films d'opéra interchangeables qui sont la « Gesamtkunstwerk » du pauvre, et dont notre époque semble se satisfaire. Mais la fusion tant espérée entre texte, image et musique n'intéresse pas Ophuls. Son goût du mouvement le pousse à ignorer les entreprises de synthèse qui isolent de la réalité. *La Fiancée vendue*, loin d'être animé d'un bout à l'autre par un

47

seul et unique souffle, se compose d'une multitude de respirations singulières et originales dont l'objet est de cohabiter sans fusionner. Celui qui regarde une goutte d'eau au microscope aura une image étonnamment juste de ce processus complexe où s'agite une infinité de lignes entrelacées. Voici l'essence même de la vie selon Ophuls : excités par la lumière, les animalcules prisonniers entre lame et lamelle se croisent, se heurtent, s'apparient et se délaissent. Certains semblent étroitement dépendants d'un tempo précis, d'autres paraissent errer au hasard de leurs pulsions, d'autres encore interprètent dans un coin du champ visuel une partition connue d'eux seuls — apparemment pour leur propre plaisir. Ce chaos qui croît en intensité au fur et à mesure que le temps passe, est la traduction d'une seule volonté, vivre à tout prix avant que l'eau ne s'évapore. Une expression collective de la même ampleur traverse la scène des théâtres ambulants germaniques ou les images de *La Fiancée vendue*. Les hommes y remplacent les animaux microscopiques mais « *la communion des volontés est un suffisant assouvissement pour que le désir renonce à tout autre objet* »[7]. Le metteur en scène ordonne le spectacle et participe à l'éveil du sujet collectif dont chaque élément connaît les exigences : sous peine de mourir, il faut bouger, s'adonner au mouvement, être pris par lui, s'essouffler avant de tomber pour mieux repartir à la conquête du plaisir. Ainsi on vit, ainsi on existe, ainsi on participe au chaos par le biais d'une infinité de sensations et d'impressions qui naissent au contact des autres participants à la fête. Méritent-ils que l'on tente de les prolonger, ces instants où les chairs se touchent, où les âmes se frôlent ? La réponse viendra peut-être un jour mais pour l'heure, Ophuls préfère jouer de sa phénoménale faculté d'agitation. Menée tambour battant, l'ouverture de *La Fiancée vendue* impose le rythme, et l'action se met en place avec une précision d'horlogerie. Par rapport à la scénographie d'ensemble qui dominait les deux premiers films, les raccords gagnent en indépendance. En fait, Ophuls découvre à peu près à la même époque que Lubitsch une vérité inhérente à l'opérette filmée : musique et dialogue doivent imprimer une pulsion tour à tour, sous peine de mettre l'unité dynamique de l'œuvre en péril. L'image doit accorder sa plastique aux nécessités du rythme fourni par la parole ou les notes, le metteur en scène étant avant tout garant du tempo d'ensemble.

Mais si Lubitsch recherche la parfaite fluidité du discours, Ophuls se laisse aller au plaisir de saisir l'éphémère en privilégiant

7. Jean Starobinski, « L'invention de la liberté », Skira 1964, p. 101.

48

Jarmila Novotna (Marie, la fiancée) et Willy Domgraf-Fassbaender (Hans)

une multitude d'instants comiques. La fuite du fiancé à travers champs, les scènes où interviennent le cochon et l'ours démasqués constituent le butin d'un œil particulièrement avide qui se pose sur un univers chaotique. Les acteurs se donnent à un inlassable ballet dionysiaque que rien ne semble devoir interrompre : la pulsion de la vie passe de corps en corps, les protagonistes n'attendant pas une seconde de plus pour dilapider à travers quelque action irresponsable le capital d'énergie qu'ils viennent de se constituer. Triomphe de la fantaisie populaire qu'aucun théâtre ne peut emprisonner, le film est une interminable fête où acteurs et spectateurs échangent leurs positions dans l'allégresse générale. Le chapiteau apparaît comme un espace ouvert à toutes les réjouissances, un lieu où la re-présentation est indissociable de la réalité. Les conflits se cristalli-sent lors de l'installation du cirque pour mieux se résoudre le temps d'un spectacle — autant dire le temps d'une vie. Le plaisir s'instal-le-t-il à demeure, dans un écran trop étroit pour tant d'allégresse ? Ophuls est obligé de prendre en charge toute cette dynamique, et la

49

caméra se fait tourbillonnante, esquissant quelques fragments d'arabesque pour accompagner hommes ou animaux, participant à la dilapidation générale de l'énergie. Le bonheur du cinéaste semble total. Découvrant les ressources de son art en abolissant les frontières théâtrales de la scène et du décor, il veut tout filmer, tout enregistrer, pour ne rien perdre de la fête qu'il organise. Animé d'un désir glouton, il prend le risque de voir les réjouissances tourner en bacchanales et les moyens qu'il emploie cessent de le préoccuper : rien n'existe que l'urgence du discours. Mais celle-ci n'est jamais livrée à elle-même, sans possibilités de contrôle de l'esprit. Ophuls discipline son inspiration en faisant s'entrechoquer répliques, phrases musicales et attitudes des corps, dans le seul but d'éprouver la stabilité d'un univers désordonné. Pas de fusion entre tous ces atomes, mais pas non plus de dispersion qui remettrait en cause la cohérence de l'ensemble. Le cadre et le montage veillent à l'unité du tout. *La Fiancée vendue* est une fantaisie sinon rigoureuse, du moins exigeante.

Ce que découvre Ophuls au contact des acteurs ambulants du sud de l'Allemagne, les jeunes dramaturges du « Sturm und Drang »[8] en avaient déjà éprouvé la pertinence. Goethe, Schiller et bien d'autres recherchaient le contact avec les forces vives dont le peuple semblait dépositaire. Mais un processus autrement plus sinistre s'amorçait à la même époque : l'idéologie d'Herder prétendait cerner la réalité de l'être national allemand à travers le concept nouvellement créé de « Volksgeist »[9] (esprit du peuple). Cette volonté unificatrice s'appuyait sur la permanence des mythes fondateurs communs à toutes les populations de langue germanique et se situait donc au-delà de la raison. L'écroulement de l'humanisme chrétien du dix-huitième siècle, la présence dans la liturgie romaine de nombreux espaces de dévotion « parallèles »[10] fournissaient les meilleurs arguments pour le développement d'un sentiment national encore exacerbé par l'opposition entre villes (domaines du capital en expansion, qui deviendront plus tard, dans l'inconscient collectif, les territoires d'où opèrent les spéculateurs juifs...) et campagnes. Peu à peu va surgir toute une « Allemagne des ténèbres »[11] (Ernst Bloch), où triomphe l'appel aux instincts puissants qui traverse en profondeur les mythes germaniques. Le flux de la vie qui inspirait Goethe est dominé par son double morbide, faute de valeurs suffisamment fortes pour empêcher la barbarie originelle de s'installer dans un espace religieux désespérément vide. Pour des millions

8. cf. supra p. 13, n. 9.
9. Voir Alain Finkielkraut, « La défaite de la pensée », Gallimard, 1987 pp 13-53.
10. Voir à ce sujet les analyses de Victor L. Tapie dans « Baroque et classicisme », Hachette-Livre de poche 1980.
11. Ernst Bloch, « Héritage de ce temps », Payot, 1978 pp 46-55.

50

d'Allemands, Hitler sera le sauveur des temps modernes, nouveau messie investi dès l'origine (et quoiqu'en puissent penser ceux qui prétendaient « tout ignorer » de l'Holocauste...) d'une mission de purification du monde. L'existence simultanée de l'humanisme goethéen et de son double herdérien (pour lequel Goethe avait de la sympathie) montre seulement que, libéré d'un pouvoir fondé sur la transcendance, l'homme des Lumières était encore à la recherche d'un projet pour sa modernité. Philosophes et artistes proposent, mais les esprits pratiques imposent. Telle n'est pas la moindre des inquiétudes qui nous saisit à la vue de *La Fiancée vendue* : la Bavière idyllique qui sert de décor au tournage est en train de basculer dans les ténèbres hitlériennes. Environné par l'obscurantisme le plus primitif, un cinéaste exalte les puissances vitales qui seront utilisées demain pour commettre les pires crimes contre l'humanité. Et, amère ironie, l'Allemagne de Goethe est redevable à une opérette tchèque d'un de ses derniers éclats humanistes. L'envahissement de la Tchécoslovaquie par Hitler sonnera le glas de la paix précaire qui régnait sur l'Europe.

Vingt ans plus tard, Ophuls l'exilé revient dans son pays. « *Dans le jardin d'une petite auberge*, raconte sa femme, *au sommet d'une colline qui dominait l'autoroute Munich-Salzbourg, nous restâmes peut-être une heure, perdus dans la contemplation du paysage. En sortant, nous passâmes devant deux jeunes paysans attablés devant un pichet de vin, et l'un d'eux nous lança :* « Joyeux retour dans la vieille patrie ! » *Max me lâcha le bras pour se précipiter dans la voiture. Quand je le rejoignis, il avait posé la tête sur le volant. Il pleurait* »[12].

12. Hilde Ophuls, postface à « Max Ophuls par Max Ophuls », p. 237.

IV

VIENNE OU LE REFUGE

Liebelei

Magda Schneider (Christine) et Wolfgang Liebeneiner (Fritz) dans *Liebelei*

Qu'est Vienne pour Max Ophuls ? Une étape, une expérience, une terre d'accueil. Avec *Liebelei* (1933), le succès dépasse toutes les espérances. L'exil n'en est que plus douloureux : « *Un adieu fait toujours mal, même quand on l'a longtemps désiré* » constate un des personnages de la pièce d'Arthur Schnitzler. On ne saurait mieux dire.

Mais Vienne est surtout « cosa mentale », chose de l'esprit, zone d'influence inconsciente dont les formes profitent pour se développer et s'aguerrir. L'apparent naturel avec lequel Ophuls décrit les amours de Christine, la Süsse Mädel (l'ingénue) chère au cœur des Viennois, et de Fritz, l'officier de la Garde impériale, semble témoigner d'une connaissance intime et familière des réalités de la capitale danubienne. Pourtant, la ville n'a retenu le jeune metteur en scène que pendant six mois, d'octobre 1925 à mars 1926.

A l'enthousiasme qui accueille une invitation du « Burgtheater » devaient succéder rapidement le scepticisme et la désillusion. L'emblème culturel de Vienne à l'égal de l'opéra, une des plus célèbres scènes de langue allemande était apparu à Ophuls dans sa vérité d'institution au caractère « *historique, authentique, terriblement vieux* »[1].

De 1910 à 1918, le philosophe Karl Kraus avait cru voir en la décadence de l'établissement le symbole de la dégradation sociale et

1. Ophuls, op. cit. p. 87

55

culturelle qu'il combattait. Révéré par tous ses contemporains et considéré comme la conscience morale de ce que nous nommons aujourd'hui « modernité viennoise », l'homme de lettres avait constaté que l'esprit de troupe s'était peu à peu effacé devant une croyance orgueilleuse des grands acteurs en leurs possibilités, croyance encouragée — au détriment des qualités d'ensemble — par les metteurs en scène. Au lieu d'être servis, les textes étaient asservis à la gloire factice de quelques-uns. La colère de Kraus ne connaissait plus de bornes à la vue de mises en scène où le littéral était sacrifié au spectaculaire : « *Autrefois, les décors étaient en carton et les acteurs authentiques. Maintenant les décors sont au-dessus de tout soupçon ; et les acteurs en carton* »[2], écrivait-il en 1917. A l'image de la ville, le bâtiment ne semblait plus exister que par une façade derrière laquelle s'ébattaient les fantômes du passé.

Pour éphémère qu'ait été son passage, le jeune Ophuls avait pourtant pu vérifier que rien ne semblait avoir changé dans une tradition où l'esprit de troupe passait avant la gloire individuelle : aurait-il pris connaissance des sévères jugements de Kraus qu'il se fût sans doute interrogé sur leur validité. Mais une dizaine d'années s'était écoulée depuis les amères réflexions du philosophe, et la monarchie austro-hongroise avait disparu en entraînant avec elle ce qu'il faut bien nommer le « sens-commun » d'une population attachée à ses institutions et pleinement consciente de ce qu'elles signifiaient.

Le Burgtheater des temps impériaux jouait un rôle essentiel dans la vie de la cité en permettant aux Viennois l'accès direct aux grandes œuvres de leur patrimoine dramatique. Il était le pendant naturel d'un théâtre populaire aux multiples apparitions, depuis les troupes ambulantes si chères à *La Fiancée vendue*, jusqu'aux théâtres des faubourgs comme le « Josefstadt » (dont Otto Preminger fut directeur en 1930). Toutes classes confondues, des générations de spectateurs lui doivent l'essentiel de leur formation littéraire et de leur éducation esthétique. Seul l'opéra lui disputait en importance. A Vienne, la réelle cohésion de la communauté s'éprouvait aussi dans une compréhension intuitive et raisonnée de l'art dramatique : « *A la quatrième galerie*, raconte un témoin de cet âge d'or, *je rencontrais beaucoup d'autres étudiants, d'enthousiastes élèves du conservatoire et des demoiselles de magasin, on suait copieusement car l'éclairage était encore au gaz et il régnait une chaleur ! Mais comme on oubliait volontiers ces petits inconvénients ! Avec quelle perfection on percevait malgré l'éloignement chaque mot du texte, si*

2. Karl Kraus, « Dits et contredits », Champ libre, 1975 p. 114.
3. Cité par Françoise Derré, « L'œuvre d'Arthur Schnitzler », Didier, 1966 p. 80.

56

senti qu'il fût ! Et avec quelle ferveur on l'écoutait ![(3)]. Ce plaisir de communier avec les œuvres du répertoire participait du même esprit qui réunissait le peuple de l'âge baroque autour des tréteaux dressés par les acteurs ambulants. Il était, si l'on veut, l'équivalent urbain des fêtes paysannes dont Ophuls avait retrouvé la trace en Bavière. La monarchie disparue et la cohésion sociale avec elle, il n'avait plus de raison d'être : les structures et les bâtiments restaient en place, mais la tradition perdait toute signification.

Une institution vide de sens avait donc demandé à un tout jeune metteur en scène un peu de sa vitalité pour animer la « splendeur glaciale »[(4)] dont elle se parait encore : voilà la réalité d'une proposition aux effets somme toute limités : quatre mises en scène et une trentaine de représentations en six mois, le bilan est maigre. Quant à la presse, elle ne fit preuve d'aucun enthousiasme. [(5)] Karl Kraus, qui relevait impitoyablement chaque semaine dans un fascicule édité à compte d'auteur et écrit entièrement de sa main (*Die Fackel* - Le Flambeau) les traces du dépérissement culturel de son époque, ne fit pas l'honneur à Ophuls d'une critique ou d'un jugement lapidaire. Signe que, tout de même, l'importance du jeune prodige devait être bien relative...

La permanence d'un climat spirituel se manifeste dans les œuvres d'art, bien au-delà des lieux et des époques : car Vienne, la ville « fascinante », « moribonde »[(6)], la ville où le futur réalisateur de *Lettre d'une inconnue* et *La Ronde* ne devait « jamais s'acclimater tout à fait », lui imprime sa marque uniquement à travers le théâtre de son plus célèbre dramaturge.[(7)] L'enseignement riche et varié du Burgtheater de jadis survit d'abord dans l'œuvre d'Arthur Schnitzler. Avant toute chose, renouant avec une tradition héritée des Lumières (et loin des délires verbaux du romantisme finissant), l'auteur de *Liebelei* conçoit le discours comme un objet chargé de sens. Le mot acquiert un sens dramatique en fonction du corps qui le formule et de celui qui le reçoit, tous les personnages subissant ses conséquences à l'instant même où il est prononcé. Nul ne peut durablement s'illusionner sur la qualité de ce qu'il dit car son langage est soumis à une réalité signifiante qu'il ne maîtrise pas. L'existence a tôt fait de ressembler alors à une suite insoutenable de chocs affectifs cruellement exposés à la lumière du jour. Doit-on s'étonner du célèbre aveu de Freud à Schnitzler (« *Je vous ai évité comme j'évite un double* »), ou simplement considérer qu'il témoigne d'une admirable compréhension de l'histoire des idées ? Visant à réconci-

4. Ophuls, op. cit., p. 87.
5. Sur la liste des pièces mises en scène par Ophuls et les réactions de la presse, cf. infra p. 213.
6. Ophuls, op. cit., p. 91-94.
7. Sur Schnitzler, voir Derré, op. cit.

lier l'homme avec sa propre naissance, la psychanalyse se trouve confrontée à une représentation du monde qui possède l'évidence des grandes constructions de l'intuition. La science peut contribuer à soulager en éclairant le tissu complexe des pulsions, mais la littérature propose un miroir où se reflète le même tissu, illuminé de l'intérieur par la lumière qui se dégage du mouvement des mots. Médecin devenu dramaturge, Schnitzler avait acquis au contact de la maladie une conscience des réalités humaines dont aucun auteur de l'époque ne pouvait se prévaloir. En choisissant d'en faire état par l'intermédiaire de l'écriture, il s'impose le devoir moral de ne pas trahir ce qu'il sait de la souffrance du corps et des âmes. Le dépaysement exotique dans la misère du temps proposé par l'école naturaliste ne l'intéresse pas plus que les gaudrioles de boulevard (autre dépaysement, plus domestique celui-ci...) qui régalent le public bourgeois. « *Mentir aussi peu que possible avec les mots* » lui semble constituer la responsabilité de l'écrivain. « *Matériau imprécis, qui nous rend le mensonge si facile, si dépourvu de responsabilités, si excusable* »[8], la langue allemande révèle alors ses capacités à exprimer le monde tel qu'il est. Elle prend sens et racines au milieu d'une population viennoise qui rencontre sur scène ses multiples parlers, reproduits avec fidélité en même temps qu'épurés pour aller droit à l'expression de l'essentiel. Les censeurs du temps ne s'y trompent pas, et Schnitzler fut banni du Burgtheater pendant de longues années. L'institution sclérosée jugeait trop scandaleux cet auteur si apte à exprimer avec une telle évidence l'amoralité d'une société européenne d'entre les deux guerres en pleine décomposition intellectuelle.

Mais si le dramaturge renoue avec l'esprit de précision et la croyance au sens du texte caractéristiques du Burgtheater impérial qu'il avait bien connu, sa projection du théâtre dans la réalité crue de l'existence contemporaine ne se satisfait pas seulement de cet amour des choses bien dites. Il lui faut revenir à la tradition vivante de toute représentation théâtrale, celle de la troupe. Ses intrigues traversent verticalement un tissu social constitué de couches plus ou moins perméables, et personne n'échappe au mouvement dramatique. Ainsi *La Ronde* voit se croiser une prostituée, un soldat, une soubrette, un fils de famille, une jeune femme du monde et son époux, une Süsse Mädel, un homme de lettres, une comédienne et un aristocrate. L'individualité s'efface devant les servitudes imposées par le texte, et aucun acteur ne peut espérer tirer la couverture à lui

8. id. p. 283

58

pour faire son numéro : le pouvoir de subversion détenu par les pièces les plus significatives de Schnitzler s'explique par une contestation des formes théâtrales de son temps qui s'exerce autant sur la forme du texte que sur les codes de la représentation. Si le bourgeois pouvait compatir à la misère des prolétaires le temps d'une représentation naturaliste, sa compassion sentimentale cesse dès qu'il voit sa responsabilité engagée. Fusent alors les cris de protestation indignée, ceux-là mêmes qui accueilleront *La Ronde* ou *Professor Berhardi*. Par ailleurs, l'emprise de la communauté des acteurs (la troupe) sur la communauté des spectateurs (le public) n'a aucune commune mesure avec la fascination que peut exercer un comédien solitaire. La première est de l'ordre du sens commun éprouvé par la masse, la seconde reflète une distorsion de ce même sens par la concentration dans les gestes d'un seul de tout un réseau complexe de significations dont la représentation est impossible à l'être unique — à moins qu'il ne se désigne comme chef. Resurgence des vieilles obsessions de la « Gesamtkunstwerk » dont Wagner se fait le hérault : qu'est donc « Parsifal », sinon un opéra où l'énergie d'une troupe est mise au service d'un seul personnage ? Faute d'avoir pu encore révéler totalement l'étendue de l'espace dans lequel s'inscrit Schnitzler, voici déterminé celui (on ne s'en étonnera pas !) qu'il refuse.

Evidemment, Ophuls voit moins en l'auteur de *Liebelei* le dépositaire d'une culture que l'efficace maître en dramaturgie qui lui permet de discipliner son inspiration. De la Bavière à l'Autriche, le paysage change mais les leçons restent les mêmes : c'est la troupe d'acteurs qui permet d'entrer en contact avec un théâtre intimement lié à l'espace social, c'est elle qui — tout en relativisant le rôle du metteur en scène — donne à l'œuvre un irremplaçable pouvoir de signification. Comme tous les metteurs en scène, Ophuls découvre la réalité collective de son art. Dans l'espace culturel germanique, cette croyance en la troupe — surtout lorsqu'elle est urbaine — est riche de sens. Au contact d'un spectacle où tous et toutes peuvent contempler comme dans un miroir la représentation des pulsions sociales, elle permet à l'imaginaire collectif d'échapper au mythe de l'être unique.

Arthur Schnitzler lui-même n'est qu'un acteur de l'histoire au sein de la grande troupe parfaitement cohérente de la « modernité viennoise ». Aussi indissociable du paysage que Gutav Klimt, Adolf Loos, Robert Musil, Anton Webern, Karl Kraus ou Gustav

59

Mahler, il explore le même territoire qu'eux, celui d'une culture dont le sens est éprouvé quotidiennement au sein de l'empire qui l'a produite. Espace mental autant que physique, la Vienne des années 1900 donne à toute œuvre son contenu et à tout imaginaire sa place. Plus besoin, dans une société qui vit ainsi avec l'art et non à l'écart de lui, de hurler à la lune en érigeant l'action de créer en absolu comme le font au même moment ces avant-gardes dont le seul credo semble être de vouloir brûler les bibliothèques (nos surréalistes réclamaient ce genre de bûcher : Hitler les satisfera). Nulle contradiction, par ailleurs, à ce que les mouvements de dislocation qui agitent l'empire se reflètent au cœur de l'activité créatrice. « *La Sprachkritik, la genèse de la psychanalyse, le dodécaphonisme, le dépouillement des façades des immeubles : c'est chaque fois un patrimoine, linguistique, psychologique, musical, architectural, dont on dispute le sens, ce n'est pas un butin étranger, une richesse autre dont on cherche à s'emparer* ». « Moderne » au sens baudelairien[9], l'espace viennois du début du siècle l'est en exploitant un patrimoine et en manifestant un attachement indéfectible aux cultures de la Mitteleuropa[10]. La sensibilité des artistes questionne une mémoire commune peuplée de mythes germaniques, mais aussi slaves et méditerranéens. Sans renier l'identité nationale d'un empire « *où le soleil ne se couche jamais* »[11], ces créateurs font « sécession », c'est-à-dire « *s'isolent, (font) retrait, s'enfonce(nt) à l'intérieur d'un territoire qui ne cesse pas d'être le (leur)* »[12]. Leur activité les conduit à mettre l'univers germanique en communication avec d'autres mondes, montrant ainsi que la notion de « Volksgeist », telle que la concevait Herder, est dénuée de toute réalité historique. Goethe n'aurait pas renié de tels choix, lui qui avait trouvé dans les philosophies orientales de la sagesse et du plaisir l'inspiration nécessaire pour composer quelques uns des plus beaux poèmes de la langue allemande. Ainsi la modernité viennoise peut-elle être interprétée comme la dernière tentative de donner vie à des traditions menacées de déclin ou de disparition. Au contact de Schnitzler, Ophuls profite pleinement de la vitalité désespérée d'un monde que l'émergence du nationalisme germanique entraîne dans l'abîme.

A *Liebelei*, pièce où quatre personnages principaux monopolisent l'action, il faut un quatuor parfaitement cohérent, sorte de troupe en miniature dont la constitution donne des frissons aux commanditaires du film. « *Le générique fut à lui seul toute une aventure. Aujourd'hui encore, je me demande comment les producteurs n'ont pas*

9. cf. supra p. 11.
10. Europe centrale. Sur l'unité et la diversité des cultures de l'Empire Austro-Hongrois, voir William M. Johnston, « L'Esprit viennois », P.U.F. 1986.
11. C'était l'image que les Habsbourg aimaient à en donner. Voir Joseph Roth, « La marche de Radetzky», Seuil, 1982 pp 139-150 et Claudio Magris, « Le Flambeau d'Ewald », dans « Vienne 1880-1938, L'Apocalypse joyeuse », sous la direction de Jean Clair, Editions du Centre national d'art et de culture Georges Pompidou, 1986, pp. 20-29.
12. Jean Clair, *Une modernité sceptique*, dans « L'Apocalypse joyeuse » p. 47.

Le quatuor : Willy Eichberger (Théo), Luise Ulrich (Mizzie), Magda Schneider (Christine) et Wolfgang Liebeneiner (Fritz)

eu une attaque. Quatre grands rôles, confiés à quatre débutants.
Puis, en caractères nettement plus petits, une cohorte d'étoiles de pre-
mière grandeur, cantonnées dans des rôles secondaires et jusqu'aux
utilités. Des vedettes habituées à porter, sur leurs épaules massives ou
frêles, tout le poids d'un film, avaient accepté de venir tourner deux
ou trois jours, dans des emplois épisodiques[13] »

En fait, Ophuls ne pouvait rêver construction qui l'encourageât
mieux à maîtriser son style. Les impératifs commerciaux imposant
d'étoffer un texte dont la durée n'excède pas une heure, l'inspiration
tumultueuse qui parcourait *La Fiancée vendue* doit se discipliner,
faute d'égarer le spectateur et de lui faire perdre le fil du discours.
Afin de mieux faire apparaître le sens du texte, la caméra ne se permet plus les vagabondages hasardeux dont profitait la fête paysanne, et les protagonistes du drame sont cadrés au plus serré, comme
si l'image était pour eux une seconde peau. Les mots sont étroitement liés aux mouvements des corps, les corps sont indissociables
du cadre, le cadre renvoie aux pulsions profondes qui font surgir les

13. Ophuls, op. cit. p.
161.

61

mots et frémir les corps : Ophuls a jeté les bases de sa rhétorique. Rien ne lui permet encore de développer le va-et-vient entre la réalité des apparences et celle de l'être profond qui fait tout le prix de *Lettre d'une inconnue* ou *Madame de...* « *L'exploration psychologique de la réalité sociale* » (Freud) à laquelle s'apparente l'art de Schnitzler demande un illustrateur apte à en capter la nature. La caméra se fait donc attentive aux plus légers frémissements des visages, aux plus infimes mouvements des corps. Elle parvient à suivre les légers déplacements de l'amoureuse Christine (Magda Schneider) avec une facilité qui ne lasse pas d'étonner, si l'on songe un instant à l'encombrement et au poids des appareils de prise de vues de l'époque. Ophuls, a-t-on souvent dit, se contente de cette virtuosité sans chercher à examiner plus avant, restant à la surface de ce qu'il observe. La valse de *Liebelei* dément une telle affirmation. Dans l'appariement maladroit des corps qui apprennent à se connaître, tout n'est qu'hésitation, difficulté, libération anticipée. La caméra se fait gauche, pataude, ne laissant rien subsister de l'écoulement sans fin appelé par le déséquilibre de la mesure musicale. Le temps de quelques pas la danse semble plus facile, et le couple se joint à l'arabesque dessinée par le mouvement d'appareil ; mais l'instant d'après, les pas deviennent parfaitement audibles, « enracinant » les corps dans un espace mental dominé par l'idée de pesanteur. On ne peut rêver valse plus différente de celle exaltée par Lubitsch, triomphe de la fluidité et du mouvement perpétuel. Ici, le plaisir de l'instant n'a pas sa place : la danse s'arrête d'elle-même, personne pour l'interrompre en renforçant ainsi l'illusion qu'elle aurait pu se poursuivre indéfiniment. Que Fritz change de partenaire, abandonne Christine pour la baronne dont il est l'amant, et l'orchestre à cordes succédant à un piano mécanique paraît garantir un peu de cette souplesse qui permettrait aux corps de retrouver les figures libres dont aime à se griser la haute société. On se souvient alors que la valse surgit avec la révolution industrielle pour remplacer le menuet, emblème de l'aristocratie... Mais c'est cette fois l'image qui dément ce que le son suggère, et le couple danse avec raideur, sans échanger aucun regard, uni en apparence et séparé par la réalité sociale qui assigne à chacun une position bien déterminée. Aucun mouvement ne peut réunir durablement deux êtres aussi contemplatifs et indécis. La valse de *Liebelei* annonce et contient toutes celles qui, de *La Signora di Tutti* à *Lettre d'une inconnue*, de *La Ronde* à *Madame de*, témoignent de la difficulté de la communication amoureuse entre les partenaires. Danser, dit Ophuls (au contraire de Lubitsch) n'est pas une solution lorsqu'on ne se comprend pas. Le mouvement n'apporte rien d'autre que le mouvement : se livrer à la même arabesque ne réunit pas un couple séparé.

Voilà donc un cinéma qui ne s'illusionne guère sur l'ordre du monde et la réalité des choses. Ophuls ne définit aucun espace protégé (la valse pas plus que la chambre où se retrouvent les amoureux) qui échapperait au mouvement de la vie. Ce dernier ne possède évidemment pas de valeur morale en soi, et le regard porté par la mise en scène se fait d'une précision clinique lorsqu'il s'agit de discerner l'apparition d'une pulsion de mort. L'ultime figure qui clôt le film, la fenêtre d'où se précipite Christine, découpe dans un mur nu un rectangle parfaitement net, à l'image de la solution finale privilégiée par l'être qui souffre. Il faut se garder pourtant d'en conclure au triomphe de la mort qui verrait l'héroïne connaître un accomplissement promis aux personnages de la tragédie classique. A bien observer l'image, la fenêtre ouverte oscille sur son axe, fait mine de se refermer puis de s'ouvrir à nouveau, semble mimer une dernière hésitation là où devrait s'imposer l'immobilité de la mort. Infime mouvement de va-et-vient qui laisse au souffle de la vie le soin de conclure, trace d'une femme libre (les chrétiens diraient : enfin libérée !) d'avoir aimé un homme prisonnier des structures sociales, ce dernier frémissement d'un objet atteste de la réalité d'un combat que le metteur en scène observe sans prendre parti : le rectangle se livre à la courbe, la figure pétrifiée s'abandonne au mouvement, la structure des choses se soumet aux hasards de la vie. Libre au spectateur de rendre le vent responsable ou de préférer voir battre un cœur au moment où l'âme s'échappe. Ophuls ne conclut pas et abandonne l'existence à sa qualité de « premier mouvement » (Goethe), sans lui imposer une trajectoire bien définie.

Ainsi le libre jeu des formes permet-il à cet art de trouver son éthique. Depuis le dix-huitième siècle, époque où la volonté de création s'éprouve hors de l'autorité religieuse, rien de plus essentiel. Entre ordre et liberté, liberté et ordre, l'artiste se meut à peu près comme il l'entend malgré les tracasseries des pouvoirs de toutes sortes, élaborant un regard qui est aussi une morale. La volonté mozartienne peut lui servir d'emblème. « *Es lebe die Liebe ! Que vive l'amour !* » chante au générique de *Liebelei* le quatuor vocal extrait de « L'Enlèvement au sérail ». De la part d'Ophuls, ce choix n'est pas innocent. Détenteur d'une admirable biographie du compositeur[14] (au temps où les études sérieuses n'étaient pas légion...), il sait bien que le premier opéra allemand de Mozart salue l'invention d'une liberté concrète, une liberté qui s'éprouve dans l'acte indépendant de la composition après les années passées sous la tutelle des princes de l'église. « Que vive l'amour... » et Christine meurt. Voici la marque de cette ironie qui permet à la mise en scène d'osciller sans cesse entre gravité et légèreté pour mieux dévoiler l'insoutenable réalité de l'être. A certains moments, pourtant, tout semble brutalement se radicaliser et la ligne droite passe pour l'ennemie de l'arabesque, aussi sûrement que la trajectoire rectiligne du baron furieux d'être trompé (et gravissant les escaliers avec raideur et rapidité) s'oppose aux mouvements sinueux qui accompagnent les évolutions de Christine.

Repris et perfectionné dans *Madame de...*, le plan célèbre où les pieds d'un témoin mesurent avec application la distance séparant les deux duellistes est un puissant signe de mort. Tout ce qui est rectiligne, raide, régulier, semble irrémédiablement opposé à la pulsion de vie : les mouvements métronomiques du baron qui tourne et retourne dans la serrure la clef dont disposait sa femme afin de pénétrer dans l'appartement où se consommait l'adultère portent la condamnation à mort de l'amant (Fritz) qui les contemple. Quant à l'épouse légitime, elle n'est pas mieux servie par la géométrie : le train dans lequel elle s'éloigne sous le regard accusateur de son beau-frère est le premier d'une longue série imposée par le cinéaste aux femmes contraintes de disparaître. Un quai, une succession de wagons, des rails : voici encore des lignes droites qui écartent des arabesques, projettent les corps dans l'espace occupé par les tangentes de la vie. Loin d'être symbolique, cette géométrie des sentiments est aussi complexe que l'existence elle-même, le plus heureux des couples d'amoureux (Christine et Fritz) pouvant se trouver brutalement livré à un travelling arrière qui les entraîne dans son sillage alors que rien ne le laissait prévoir. De là l'impression d'évidence et de perfection qui se dégage de *Liebelei*, tant la rhétorique s'adapte à la vision Schnitzlerienne du monde pour laquelle l'amour est un élément de réalité parmi d'autres, susceptible d'être soumis à tous les mouvements contradictoires de l'existence.

Dans le théâtre de Schnitzler, aucun être ne peut échapper aux lois (naturelles, sociales) de la vie, pas plus que dans le cinéma d'Ophuls un personnage ne peut se détacher de la ligne droite ou de

14. Cf. supra p. 13 note 6.

64

l'arabesque. Tous se heurtent à la concrétisation de leurs sentiments ou de leurs émotions. La fin de *Liebelei* mêle au drame en train de se dénouer les accords de la Cinquième Symphonie de Beethoven. Etrange choix, a priori, que celui d'une composition aussi triomphale et volontaire pour accompagner la description d'un échec... Mais le discours musical est brisé avant la péroraison finale, et le tumulte intérieur de la femme flouée (Christine) se déchaîne par delà toute une pompe sonore définitivement renvoyée au silence. L'image profite de la béance laissée par l'interruption arbitraire du son : ce silence concret, chargé de sens, lourd de toute l'énergie libérée en même temps que se fracturait irrémédiablement la phrase musicale, ne peut qu'entraîner le corps vers le bas. La sensation, le sentiment, deviennent choses concrètes, réelles, pesantes, significatives... Avant longtemps, Ophuls ne retrouvera une telle efficacité dans la mise en jeu de sa physique des âmes et des corps. Vienne se dérobe à lui comme au reste de l'Europe : les ténèbres sont là.

V

ERRANCES

Divine, Werther

Michiko Tanaka et Pierre-Richard Willm dans *Yoshiwara*

Chassé d'Allemagne, coupé de ses racines, Ophuls voit son esthétique se disloquer de tournage en tournage. L'équilibre délicat entre ordre et liberté mis au point autour du théâtre de Schnitzler disparaît peu à peu derrière la leçon de choses ou la caricature. A elle seule, la version française de *Liebelei* tournée à la va-vite aux studios Pathé suffit à témoigner d'une réalité faite d'artifices et d'incertitudes. L'unité plastique du film allemand a disparu, le drame se morcelle en tableaux de genre, les raccords trop visibles entre les nouvelles scènes d'intérieur et les séquences originelles trahissent un collage dépourvu de toute nécessité interne. Le quatuor patiemment constitué a été séparé, le couple d'acteurs commun aux deux versions (Magda Schneider et Wolfgang Liebeneiner) paraît étrangement mal à l'aise. Rien ne peut surgir d'une transplantation effectuée par seule exigence matérielle, et le mouvement de la vie se fige dans la lourdeur d'une parodie inutile. En abandonnant derrière lui les forces vives d'une tradition dont il profitait pleinement — celle des différentes formes du théâtre germanique — Ophuls court le risque de voir dépérir son art. Il lui faut réinventer tout ce à quoi il avait librement accès de l'autre côté du Rhin. Conquérir ce qui semblait en passe d'être transmis est un travail long et difficile pour un créateur parvenu depuis peu à une certaine maîtrise de ses moyens d'expression. Quinze années y suffiront à peine.

Les belles leçons reçues au contact des acteurs amateurs de Bavière, le sens de l'équilibre entre verbe et pulsions sentimentales appris d'Arthur Schnitzler ne sont d'aucun secours face à des scénarios aussi insipides que ceux de *On a volé un homme* (1934), *La tendre ennemie* (1936), *Yoshiwara* (1937) ou *Sans lendemain* (1939). Tous ces canevas de romans à bon marché procèdent d'une dramaturgie sommaire asservie aux élans du cœur. Le plus piteux théâtre de boulevard côtoie l'orientalisme de bazar à la Dekobra dont aimaient se griser les bourgeois épris d'exotisme. Une rhétorique creuse rend le langage futile, dérisoire, insignifiant. Chaque parole prononcée est vide de sens puisque l'existence elle-même n'en possède guère, les bons sentiments suffisant à définir le bien et les mauvais le mal. Ces univers de conventions n'ont que faire d'une morale s'accordant à maintenir l'équilibre entre ordre et liberté : le cœur supplée à l'intelligence, ce qui permet d'oublier au passage que tout homme est discours, donc idéologie. Une éthique aussi arbitraire est fatalement destinée à devenir objet de spectacle (ainsi on oublie le vide qu'elle recouvre...). Les grandes certitudes qui animent les pantins prisonniers de ces fictions abâtardies sacrifient au bon sens commun, celui que dicte une prise de conscience (ou d'inconscience) sentimentale du monde. Au bout du compte, c'est le néant qui triomphe dans des représentations où le larmoiement tient lieu de conscience critique. Fritz Lang aurait transformé de telles indignités en pochades pour mieux démasquer l'idéologie confortable de ceux à qui elles profitent. Mais l'humanisme d'Ophuls s' interdit — à tort ou à raison — de considérer les pantins comme de simples figures de style à la merci des illusionnistes qui les ont créées. Il lui faut conférer une âme à ces figures inanimées, susciter en elles un peu de la richesse humaine fuie comme la peste par leurs prétentieux inventeurs. Les arabesques dont le cinéaste habille Edwige Feuillère *(Sans lendemain)*, ou Simone Berriau *(La tendre ennemie)*, ne le céderont donc en rien à celles dévolues, bien plus tard, à Danielle Darrieux *(Madame de...)*. Il n'empêche : rien, dans son style de mise en scène, n'est encore assez épuré pour permettre à la réalité de se faire jour au sein d'un matériau dénué de toute signification. La tradition qui garantissait un sens au moindre frémissement d'un corps ou à la plus infime inflexion d'une voix est absente. Privé de repères, plongé au cœur d'un imaginaire bourgeois singulièrement dégradé par l'inflation sentimentale, l'artiste en est réduit à questionner le vide d'un univers sensible soigneusement tenu à l'écart de toute réalité concrète.

Le jusqu'au boutisme de pacotille dans lequel se complait le vérisme semble un instant l'intriguer : adaptation d'un roman-feuilleton publié par une revue populaire de l'éditeur Rizzoli, *La Signora di Tutti* (1934) est traversé d'une hystérie propre à satisfaire les goûts des amateurs d'opéra italien fin XIXème. Certaines séquences paraissent abandonner les acteurs à leurs impulsions et livrer la caméra à une outrancière mobilité calquée avec acharnement sur les mouvements des corps. De son chef-opérateur, Ophuls écrit qu'(il) « *ressemblait au Mercutio de "Roméo et Juliette" : c'était le même physique, et la même passion pour la dive bouteille. (…) En l'espace de quelques secondes, il faisait décrire à sa caméra un cercle complet, au risque de photographier les projecteurs :* "Aucune importance, *disait-il, en réponse à mes protestations effrayées.* Comme cela, les gens voient au moins que c'est un film".[1] » Cet enthousiasme difficilement contrôlable contamine jusqu'à la valse qui débute par la succession de frémissements du cadre et de mouvements tournants qu'Ophuls perfectionne peu à peu, se poursuit — comme dans *Liebelei* — par une section où le son des pas de danse vient mettre en cause l'impression de facilité liée à la virtuosité de l'appareil, mais trouve sa conclusion dans une figure solitaire de l'héroïne : livrée à elle-même dans un tournoiement sans fin, la Signora finit sa course sur un sofa. « *Ma tête tourne* », s'écrit-elle, alors qu'en un instant la caméra exécute un panoramique à 360 degrés. La lourdeur de cette redondance est le signe d'un climat propice aux pires excès : Ophuls prend acte que les contraintes de la raison sont sciemment ignorées et en profite pleinement. Visage lisse et démarche mal assurée, Isa Miranda semble endurer la passion comme d'autres le martyre. Dans sa « grande scène », elle gravit avec peine l'escalier courbe que vient de dévaler la chaise roulante de sa rivale, puis se précipite pour démolir avec rage le poste de radio qui diffuse une tonitruante musique de fond. De telles scènes semblent laisser Ophuls perplexe, et tout indique qu'il partage le scepticisme de Tristan Bernard : « *Je ne t'achèterai jamais une chaise roulante* », avait murmuré celui-ci à sa femme après une projection du film...

Pourtant, au-delà du simple spectacle des sentiments, apparaît de plus en plus nettement une conception du rapport entre les sexes qui fait de la femme la victime consentante du plaisir de l'homme. Filmé par une caméra placée dans l'axe du regard de l'héroïne, le masque à somnifère qui descend sur le visage de la Signora devient un objet autant destiné à écraser qu'à endormir. De fait, il est le masque du dernier sommeil. La mort de la star interrompt

1. Ophuls, op. cit., p. 179-180.

71

les processus de fabrication des images du spectacle, la dernière affiche restant suspendue hors de la machine, étrangement courbée — comme s'il fallait que le papier garde à tout prix la trace des arabesques décrites par le corps féminin. Cette logique de l'écrasement est encore plus sensible dans une scène où la Signora, plaquée contre la rampe de l'escalier, se voit revendiquée simultanément par les deux hommes dont la présence — en haut et en bas des marches — lui interdit toute fuite. A la limite de l'abstraction, ce plan, un des plus audacieux de toute l'œuvre d'Ophuls, est la représentation d'un combat pour la survie des âmes : l'espace d'un instant, les corps se font simples traces des pulsions, violentes épures de sentiments trop intenses pour les êtres en présence. Passe l'ombre d'Eric von Stroheim, aussitôt disparue. Le cinéaste de *Madame de...* travestit la violence que celui de *Queen Kelly* fait éclore avec force grimace. Ophuls est homme à écouter les plaintes, pas les hurlements.

En fait, ces derniers le gênent. Car dans cet univers, les femmes ne jouent pas à se faire mal, elles ont vraiment mal. Et leur douleur, toute de silence et de repli, devient peu à peu insoutenable. Faut-il s'étonner que cet art si matérialiste préfère l'héroïne au héros ? De tous temps, les hommes ont évolué sciemment entre ordre et liberté, légiférant l'existence de leurs compagnes en toute impunité. Des femmes ont régné, certes, mais ce sont les hommes qui gardaient les territoires, les défendaient, voire se les partageaient. Soumis aux réalités de la guerre entre les états, l'exercice du pouvoir est tout autant défini par les armées de mâles chargées de faire respecter les frontières. Rien ne change au cours des siècles, et si les Lumières constatent prudemment l'amoralité d'un partage des rôles bien défini, l'âge romantique se satisfait d'un éternel féminin séraphique ou diabolique (c'est selon), mais toujours inaccessible. *« Les femmes sont si heureuses d'être simplement humaines. Pourquoi nous efforçons-nous d'en faire des anges ou des démons ? »*[2], s'interroge le Théodore de *Liebelei*. Question dont Ophuls explore toutes les implications, sans proposer d'autre réponse que celle consistant à décrire le phénomène d'aliénation dont il croit victimes les deux sexes (les hommes finissant toujours par payer leur aveuglement). Par ailleurs, il a parfaitement conscience que la société patriarcale d'Occident excelle à faire croire au règne de la mère pour mieux profiter de la déchéance de la putain : c'est tout le sujet de *Divine* (1935).

Le film ne plaît guère, et l'insuccès hypothèque lourdement les

2. Arthur Schnitzler, « Liebelei », Le livre de poche, 1975 p. 126.

Divine, le numéro de Lutuf-Allah

suites d'une carrière déjà incertaine. Faut-il s'en étonner ? Comme plus tard *Lola Montès*, *Divine* s'attache à dépeindre la fabrication d'une image du désir. L'éternel féminin se manifeste sous la forme d'une Pandore[3] de music-hall dont une des épreuves consiste à supporter héroïquement le contact d'un serpent manié par un fakir d'opérette (Lutuf-Allah). Ce dernier personnage symbolise la virilité la plus dénuée de sens moral : outre un certain penchant pour la traite des blanches (l'ambiance qui règne dans l'établissement est celle d'un marché aux esclaves), il aime à se représenter dans de somptueuses mises en scène sous les traits d'une divinité contemplative à laquelle les femmes doivent rendre grâce. Lieu des allégories les plus ridicules, l'espace scénique s'oppose par son ordonnancement (conçu autour d'un escalier) au chaos des coulisses. Les deux univers entrent en contact lorsque Divine (Simone Berriau) détruit le décor de la réprésentation en chassant à coups de fouet le fakir esclavagiste. Cette lutte des sexes peut sembler bien caricaturale, mais Ophuls n'a d'autre projet que celui d'exprimer la réalité

3. Dans la mythologie grecque, cette ancêtre de la femme avait été envoyée sur terre pour devenir le fléau des hommes en vengeant les dieux du rapt du feu par Prométhée. Vêtue d'un voile d'or, elle engendre la race des femmes, pour le plus grand malheur des hommes. Goethe a écrit une « Pandora » inachevée, où il oppose les conceptions épiméthéennes et prométhéennes du monde : cf infra p. 145

73

brutale de la domination masculine. Tout à la volonté d'ordonner aux femmes d'être les éléments d'un décor dont il est le maître, le sinistre mâle de *Divine* assouvit son désir, mais organise et développe aussi le mythe de l'éternel féminin en souhaitant voir inaccessibles celles qui lui sont proches. Le héros de *Lettre d'une inconnue*, ceux de *Madame de...* ou du « Modèle » (le dernier sketch du *Plaisir*) feront de même. Ces contemplatifs d'une femme lointaine peuvent ainsi choisir de dominer l'ange ou le démon dans un espace imaginaire où ils sont les seuls à pouvoir pénétrer. Convaincus du bien-fondé de leurs prétentions, ils perpétuent l'ordre établi sans songer que la liberté qu'ils s'octroient réduit singulièrement celle de l'être aimé. En conquérant la belle ils deviennent des héros, en la soumettant à leurs désirs ils se transforment en hommes de pouvoir, en la perdant ils éprouvent le caractère noblement indifférent de leur cœur. Voilà décrits bien des phantasmes masculins. [4]

Pourtant, loin de se contenter d'un triste constat de la domination, *Divine* rééquilibre le jeu en faveur des femmes. La communauté des actrices et des figurantes occupe jalousement le territoire des loges où les hommes ne sont pas admis (une mère donne même le sein à son bébé au milieu de l'agitation générale), revendiquant le droit à une existence parallèle. Celle-ci n'intéresse guère Ophuls, qui conçoit le mouvement de la vie en termes d'échanges entre les sexes. La mise en scène s'ordonne donc peu à peu autour des coulisses, univers dynamique et changeant où l'excessive mobilité des personnages semble dictée par une nécessité qui nous échappe. Morceaux de décors, traces de corps, tous les éléments qui se croisent dans le cadre paraissent sortir de l'ombre l'espace d'un instant. La rapidité des mouvements de caméra empêche que l'œil s'attache à pénétrer l'amas des formes indistinctes. Le corps féminin livre ses courbes au hasard d'un escalier en spirale, la volonté masculine tente (par la voix d'un tyrannique assistant du directeur) d'imposer son ordre à un tohu-bohu qui la dépasse : vain effort !

Entre les loges occupées par les femmes et la scène où règne le mâle, l'espace des coulisses permet au mouvement perpétuel de la vie d'arracher tous et toutes à leur milieu respectif pour les mélanger dans la même lumière. Au sein d'un territoire ouvert aux nécessités du désordre, le metteur en scène reconstitue sa troupe comme un savant son univers microscopique d'animalcules. Divine la paysanne (quoique Simone Berriau soit peu crédible en laboureuse) apporte à la ville un peu de l'énergie dionysiaque qui animait les cam-

4. Sur l'origine du mythe de la femme inaccessible en Occident, voir Denis de Rougemont, « L'amour et l'Occident », Christian Bourgois (10-18) 1982, et Mircea Eliade, « Histoire des croyances et idées religieuses », Payot, 1986, T. 3, p. 94-121. Cf aussi infra pp. 154-157.

pagnes de *La Fiancée vendue*. Bien plus tard, au Palais de la danse du *Plaisir*, la population urbaine viendra éprouver la joie nécessaire et régénératrice liée à une communion dans le chaos de la fête. Hommes et femmes s'y mêleront, car telles sont les conditions naturelles de la vie. Pour Ophuls, nature et culture sont les composantes nécessaires et complémentaires d'une existence humaine livrée à l'instinct autant qu'étroitement dépendante de l'apprentissage et de l'expérience.

Conception du monde guère originale, surtout depuis le dix-huitième siècle, mais la manière dont elle s'impose peu à peu à l'œuvre fait apparaître les liens étroits qu'elle entretient avec la sagesse de Goethe. *Werther* (1938) n'est qu'une étape, mais combien significative ! Les difficiles conditions de tournage (on entend, de l'autre côté de la frontière, le bruit des canons allemands...), la maladresse et la médiocrité de Pierre-Richard Willm et Annie Vernay, empêchent que l'œuvre puisse atteindre à la sérénité de *Liebelei*. Mais il y a plus important : sciemment, Ophuls régénère une figure littéraire que Goethe, à défaut de renier entièrement, considérait comme une création de jeunesse[5]. Le Werther du roman, tout entier voué à la défaite, capitulait devant la pulsion de mort au simple contact de l'existence. Celui du film se bat contre les lois d'une société figée et hypocrite, tente jusqu'au bout de conquérir Charlotte et finit par voir sa volonté de révolte se briser contre plus fort qu'elle. Rien dans cette transformation n'évoque « *l'expérience fondamentale où la liberté s'apparaît à elle-même d'abord comme un refus rêveur et comme un désir sans objet* »[6] dont parle Starobinski à propos de la fascination exercée par le roman lors de sa parution (1774). Ophuls voit en Werther un précurseur de Faust et insuffle au rêveur suicidaire un peu de la rébellion du titan contre l'ordre du monde. Porteur d'un exemplaire du « Contrat social », le jeune homme tente de construire sa liberté, de l'inventer presque : « *Vous et moi connaissons le grand mouvement qui se prépare* » lui lance Albert, le mari de Charlotte au cours d'une discussion qui doit décider du sort d'un paysan meurtrier par amour. Malgré cette complicité de fait, la voix du ministère public (« *Il y a des limites à la passion, c'est la raison qui les définit* ») s'oppose à celle, plus généreuse, pour laquelle l'esprit des lois doit être conforme à la nature humaine. La rhétorique ophulsienne concrétise cet affrontement entre deux systèmes de pensées, l'attitude frémissante de Werther rendant encore plus agressifs la pose raide, la démarche volontaire, les déplace-

5. Voir « Conversations avec Eckermann », traduction Emile Delerot, Fasquelle 1912, T. 1, p. 81.
6. Starobinski, op. cit., p. 206.

Divine

ments rectilignes d'Albert. Voici défini l'homme d'ordre selon Ophuls : un assemblage de lignes droites tendues vers l'expression directe d'une géométrie mortelle qui signe la domination du monde : le duel. La logique de l'action qui anime un tel personnage ne reconnaît à l'autre aucun droit à l'erreur. Retrouvant sans hésitation les pistolets que Werther lui avait confiés et dont Charlotte avait feint d'ignorer la présence[7], Albert condamne l'amoureux déçu à se faire justice sans lui fournir autre chose que les instruments nécessaires pour passer à l'acte. D'une rare brutalité, le travelling avant qui exclut Charlotte du cadre pour laisser la place à la rampe parfaitement rectiligne de l'escalier en haut duquel Albert surgit les armes à la main, souligne le caractère inflexible d'une volonté dont rien ne peut remettre en cause le mécanisme de fonctionnement. Le mouvement d'appareil traverse l'espace sans coup férir et, le jeu des lignes droites nous entraîne en pleine abstraction, dans le domaine d'un esprit épris de sa propre puissance — ce qui, pour Ophuls, est le mal absolu.

7. Sans doute la modification la plus significative apportée par Ophuls au roman. Pour Goethe, les pistolets appartiennent à Albert. Voir « Les souffrances du jeune Werther », Gallimard, 1973 pp 164-165.

Quel humaniste refuserait de considérer l'exercice de la liberté comme indissociable de l'erreur ? Certes pas Goethe, qui voit l'homme et la femme choisir la « *vie dangereuse* » (Faust) tout en sachant que le salut est toujours l'objet d'un pari à l'issue incertaine. Et même Bonaparte fut fasciné par Werther, au cœur d'un siècle où « *de longs épisodes de mélancolie ou de spleen ont marqué le début de carrières glorieusement volontaires...* »[8] Entre ordre et liberté, il paraît pourtant si facile — et si criminel — de choisir avec tant d'ardeur et de raison, comme le croit Albert ! En bon plasticien, Ophuls sait que sa représentation, pas plus que la vie, ne peut se passer de la droite ou de l'arabesque. La danse incarne à merveille les contradictions des personnages déchirés entre le besoin d'agir librement et la peur de commettre l'erreur fatale. Celle de *Werther* (le film) est un Ländler[9], c'est-à-dire l'ancêtre campagnard de la valse qui permettait aux amoureux du roman de se laisser porter par leur rêve. Sur le podium surchargé où Ophuls fait se rencontrer pour la première fois Werther et Charlotte, guère de place pour l'exaltation de la glissade et la fusion avec l'infini rêvées par le jeune romancier du « Sturm und Drang »... Mais l'élan qui précipite l'héroïne vers l'espace de la danse surgit au milieu d'un univers d'images jusque-là assez statique : la vitalité de cette impulsion surprend et désoriente, le rythme diabolique de *La Fiancée vendue* ressurgissant le temps d'une séquence. L'élan retombe aussitôt, la pesanteur des accentuations rythmiques propres au Ländler fige les danseurs (cadrés au travers des montants de bois, donc emprisonnés dans un réseau de droites...) sur le podium, leur impose de maîtriser les transports dont ils pourraient tirer quelques plaisirs secrets. Le bal en plein air, comme la promenade qui lui succède, permet au sentiment amoureux de se déployer tant bien que mal au cœur d'une lumière ou d'un paysage préservés.

Ce rêve d'Arcadie ne saurait durer, pas plus que l'illusion passionnée qu'il sert. Refusant d'opposer nature et culture, Ophuls ne fait pas de la première un refuge contre la seconde alors que le mouvement même des sens remet sans cesse en cause l'harmonie idéale entre ordre et liberté à laquelle tous ses personnages aspirent. Animé par un frémissement ininterrompu, le champ de blé que traverse Charlotte pour aller rejoindre Werther dessine une ligne d'horizon perpétuellement mouvante, admirable mariage entre les nécessités de la ligne droite et celles de la courbe. Mais au retour, après la rupture, un violent travelling latéral suit la course rectiligne au mi-

8. Starobinski, op. cit., p. 206.
9. Haydn, Mozart, Schubert et Beethoven en ont orchestré de semblables.

77

lieu des épis, rendant la séparation plus brutale encore, plus inéluctable. La nature devient présence subjective, traduction d'un
sentiment de la vie, ne saurait exister hors du regard de ceux
qu'elle abrite. Dans *Liebelei*, la neige témoignait d'une même ambi-
valence : lieu des amours préservées de Fritz et Christine, elle re-
couvrait la clairière où se déroulait le duel final.

« *Si jusqu'à ma fin, j'agis sans un instant de repos, la nature est
obligée de m'assigner une autre forme d'existence lorsque la forme
présente n'est plus à même de subvenir à mon esprit* »[10] écrivait
Goethe à Eckermann. Cet admirable principe actif qui veut voir
s'instaurer un dialogue constant entre la volonté humaine et les différents états de « nature » pénètre profondément l'art d'Ophuls, qui
se refuse à dissocier arbitrairement la matière de l'homme de celle
du milieu qui l'environne. Animé et inanimé reçoivent la même lumière, participent au même univers plastique, sont réunis dans
l'écorce et dans la chair. On a assez reproché à ce cinéma d'être
uniquement décoratif et superficiel pour ne pas voir enfin dans cet
attachement aux à-côtés des corps (tout ce qui les habille, leur permet de se mouvoir, les met en valeur) le signe évident d'une nécessité vitale, organique, qui relie sans cesse un organisme au décor
dont il tire sa substance. Filles de Vienne ou jouisseurs parisiens,
bourgeoises ou courtisanes, notables de province, paysans bretons
ou artistes à la mode, tous et toutes sont inséparables du « fond »
dont ils tirent leur légitimité dramatique. En liant ainsi les existences aux environnements, Ophuls projette dans l'espace du concret
les pulsions et les sentiments qui excitent l'esprit et font vibrer la
chair. Et lorsque tout, vraiment tout, doit finir, l'image d'une énergie brutalement libérée montre que le mouvement de la vie ne saurait capituler aussi facilement, rendant obligatoire la transformation
que Goethe appelait de ses vœux : Werther se suicide, mais un cheval s'échappe du cadre. La mort n'arrête pas l'élan, c'est la morale
de Faust.

Ensuite ? Ensuite il y a Dieu, mais peut-être a-t-il oublié l'Europe en ces années de terreur. Ophuls préfère agir, et franchit
l'océan.

10. Conversations avec
Eckermann, p. 433.

Pierre-Richard Willm (Werther) et Annie Vernay (Charlotte) dans *Werther*

VI

LE RÊVE DE FAUST

Lettre d'une inconnue

Joan Fontaine (Liza) et Louis Jourdan (Stefan) dans *Lettre d'une inconnue*

Mais avec quelle mémoire s'embarque-t-il ? L'approche de la guerre le révèle dangereusement las, à la limite de l'écœurement. Quelle place assigner à une vulgaire pochade comme *De Mayerling à Sarajevo* (1940) ? Que révèle cet acte manqué ? Bien sûr, on peut évoquer les difficultés incessantes dont souffre la production, le tournage interrompu... Il n'empêche qu'Ophuls se montre incapable de prendre en charge ce scénario grossier où François-Joseph est un monarque veule et sans personnalité, soumis aux ordres d'une archiduchesse Marie-Thérèse à la verve de harpie plébéienne. La grande figure impériale dont l'inaccessibilité avait été respectée tant par Stroheim (*La Symphonie nuptiale*) que par Lubitsch (*Le Lieutenant souriant)* disparaît derrière un pâle simulacre uniquement préoccupé de l'étiquette de la cour. Quant à la complexité des rapports entre l'empereur et François-Ferdinand, le film n'en montre rien[1]. Sans épiloguer sur une œuvre aussi mal maîtrisée, il faut lui reconnaître le mérite équivoque de délimiter nettement l'espace viennois dont profite Ophuls. Le jeune metteur en scène invité au Burgtheater n'avait vraisemblablement connu de François-Joseph qu'un portrait dans le grand salon de l'hôtel Sacher. Il n'avait pu éprouver ni logique d'organisation, ni la puissance fécondatrice d'un décorum impérial disparu avec la grande guerre. Quant au souverain, il n'était plus qu'un emblème un peu terni. *De Mayerling à Sarajevo* décrit une Autriche-Hongrie disparue dans le temps et dans l'espace, un royaume décimé au sein même de la mémoire par

1. Sur ceux-ci, voir Jean Paul Bled, « François-Joseph », Fayard 1987 pp 586-590 et 650-667.

83

les turbulences de l'histoire. Le cinéaste n'a ni le temps ni l'envie de reconstituer un semblant de vérité. Triste parenthèse dont on aurait aimé qu'elle puisse se refermer au plus vite.

Il n'en est rien : de 1941 à 1946, Ophuls est au chômage, évitant la misère grâce à ses économies et à la caisse de secours mise en place par quelques émigrés. Le bon cœur dont aime à s'honorer l'accueillante Amérique n'aide guère à trouver du travail. Une expérience malheureuse au côté de Preston Sturges[2], puis c'est l'engagement à l'Universal suite aux bons offices de Robert Siodmak : le tunnel se termine, mais sa traversée laissera des traces. Ophuls a découvert les réalités de la société américaine, et le moment venu il se fera aussi féroce que Lang pour dépeindre cet univers littéralement amoral.

« *Hier bin ich Mensch, hier darf ich's sein !* » « Ici, je me sens homme, ici j'ose l'être ! »[3] : pour l'heure, le metteur en scène de *Werther* aurait pu faire sien le cri de Faust emporté par la fête villageoise. La bonne humeur qui règne durant le tournage de *L'Exilé* (1947) permet au film de retrouver l'inspiration frénétique de *La Fiancée vendue*. La débauche de mouvements de caméra est le signe d'une vitalité créatrice enfin retrouvée, même si la technologie des studios hollywoodiens semble d'abord et avant tout servir le plaisir de celui qui en use. A la manière d'un pianiste de concert privé d'exercice durant de longues années et qui redécouvre les vertus des pièces de virtuosité, Ophuls renoue avec son art non sans appétit. Çà et là les traces d'un univers ancien ressurgissent, l'Europe naïve et stimulante des récits de cape et d'épée, si chers à l'imagerie populaire, servant à merveille les exigences d'une mémoire qui ne demandait qu'à être excitée. L'action délibérément ludique sacrifie peu à l'héroïsme et aux grands sentiments et elle ne se départit jamais d'un réseau de significations qui enserre tous les mouvements des cœurs et des corps.

Vue d'Amérique, l'histoire d'un Stuart exilé en Hollande aurait pu être le prétexte — la présence de Douglas Fairbanks Jr aidant — à un étourdissant pastiche des films des années 20 (ceux de Walsh ou de Dwan) qui glorifiaient l'action pour elle-même. Autres temps, autres exigences, autres dimensions : l'amour est froidement sacrifié aux réalités du pouvoir, le sentiment à la raison, et la femme ardente qui sut sauver le roi est abandonnée dans une chambrette sordide. Après avoir utilisé l'énergie féminine à son seul profit, l'homme choisit la voie de l'ordre en délaissant sciemment l'espace de li-

2. Engagé par ce dernier pour le tournage de *Vendetta* (avec Nigel Bruce), Ophuls est remercié, Sturges lui-même étant remplacé par Stuart Heisler sur décision d'Howard Hughes. C'est finalement Mel Ferrer qui signe le film. Voir Beylie, op. cit. p. 167.

3. Faust, Première partie V. 940.

berté offert par le sexe opposé. Pourtant, privée des services de celle (en l'occurence une vendeuse de tulipes : nous sommes en Hollande !) qui sait profiter de toutes les possibilités offertes par le décor, l'agitation du roi aurait été bien vaine ! Qu'il le veuille ou non, l'homme voit sa trajectoire volontariste livrée à l'espace de la femme, et Ophuls prend plaisir à tisser une toile où semblent cohabiter plusieurs araignées intrigantes attendant la venue du gros moustique (Douglas Fairbanks vibrionne avec une belle santé). Mais tout s'achève par le divorce des corps, l'un rendu à la ligne droite (le roi encadré par ses gardes du corps), l'autre aux inclinaisons de l'arabesque (la vendeuse de tulipes pleurant à sa fenêtre). Entre ordre et liberté, la logique du choix suppose la mort ou l'abandon. *La Fiancée vendue* est bien loin.

Persiste pourtant la réalité d'un état de la création qui voit se succéder l'élan et le reflux, l'affirmation brutale d'une volonté et la recherche tranquille d'un équilibre entre passion et lucidité. *Lettre d'une inconnue* (1948) succède à *L'Exilé* dans le même mouvement que *Liebelei* à *La Fiancée vendue*. Mouvement de retour à soi, de retour au même (Vienne) qui défie le hasard, comme si l'itinéraire mental qui mène à la capitale des Habsbourg recélait toutes les promesses d'un « *bien naître* » indéfiniment repéré[4], mouvement de

4. Clair, op. cit., p. 54.

Douglas Fairbanks Jr. (debout) et Paule Croset dans *L'Exilé*

« sécession » qui voit l'ironie se substituer à la révolte, et l'étude de
mœurs à la chronique populaire, mouvement qui interroge la mémoire au lieu de l'activer. Et toujours cette même question, à laquelle il est illusoire de répondre autrement que par la description
du principe actif qui féconde l'œuvre tout entière : qu'est Vienne
pour Max Ophuls ?

Comme *Liebelei*, *Lettre d'une inconnue* ne veut rien montrer d'une
architecture de façades (celle des palais, des églises) qui est inaccessible aux mouvements physiques des hommes ou des femmes. La
ville est un labyrinthe de ruelles, de places et d'escaliers, aisément
traversé par les personnages. Au sens musilien, voici bien un territoire « sans qualités »[5], c'est-à-dire le lieu rêvé pour qu'à chaque
instant s'ouvre devant ses habitants un éventail de possibilités dont
ils peuvent faire usage comme bon leur semble. Espace de rencontres, de passages, d'échanges, son existence est d'abord et avant
tout fonction de point de vue, c'est-à-dire de morale. A cet égard,
cette vision de Vienne est le plus bel hommage du cinéma à la capitale de la modernité. Le groupe des personnages se disperse en une
infinité de trajectoires individuelles dont la vocation semble être de
se croiser sans retenir autre chose du décor que les trajectoires que celui-ci permet. Il suffit à Ophuls d'un escalier d'opéra, d'un intérieur de

5. Voir Claudio Magris,
« L'odyssée rectiligne
de Robert Musil », Ca-
hiers de l'Herne 1981,
pp. 139-147.

Deux visages de Liza

café et de quelques lointaines visions du Prater pour restituer une véritable couleur locale de la mémoire dont la fidélité à l'esprit moderne est totale : ici, retourner sur ses pas n'équivaut pas à une trahison ou à une cruelle remise en cause, mais traduit une tendance naturelle de l'être à vouloir trouver le moins mauvais chemin possible pour traverser l'existence.

Ce réalisme est évidemment celui des âmes, et refuse de sacrifier à la description d'une atmosphère. Aussi Ophuls choisit-il de transformer profondément la (médiocre) nouvelle de Stefan Zweig qui sert de base à l'intrigue. Il récrit le texte de la lettre adressée par la femme mourante à l'homme qu'elle a toujours aimé d'un point de vue schnitzlerien, en supprimant tout ce qui pouvait susciter la compassion du spectateur — notamment les incessantes références à l'enfant mort. Le misérabilisme fin de siècle de Zweig, ses inclinaisons aux descriptions sordides et à l'étalage complaisant d'une sentimentalité envahissante disparaissent au profit du renforcement d'un point de vue unique, celui de l'héroïne, qui commande le film. Rien ne s'oppose à ce que cette « inconnue » le soit exclusivement pour l'homme qui l'a abandonnée. Le spectateur voit agir au sein d'un monde ouvert à toutes les expériences une femme dont il connaît le nom : Liza.

Etrange réalisme que celui qui adopte aussi ouvertement la position d'un personnage. A moins de confondre objectivité scientifique (à vrai dire peu satisfaisante en ce qui concerne l'étude de l'âme) et expression subjective du mouvement de la vie, nul ne peut songer à accuser Ophuls de partialité. Si l'activité inlassable déployée par une femme amoureuse paraît justifier que toute la mise en scène s'ordonne autour d'elle, c'est à ses qualités naturelles, vitales, qu'elle le doit. Liza vit au rythme de sa passion dans le labyrinthe des possibles viennois, profitant, en vieille habituée des lieux, des multiples entrées, escaliers, passages et espaces ouverts de la maison où habite l'être aimé (Stefan). L'éventail des trajectoires lui rend perméable et transparent un décor où son mouvement interne, sans cesse épousé par la caméra, devient dépassement de la finitude ; mais elle éprouve aussi sans relâche l'acceptation des limites de l'espace concret.

Monter un escalier, franchir une porte, ouvrir une fenêtre devient lourd de sens, révèle les tensions internes de l'être, ses espoirs, ses chagrins ou ses certitudes. Tout n'est qu'expression de sentiments ou témoignage de sensations éprouvées. Et une fois la présence tant souhaitée évanouie à jamais, tout n'est plus que douleur. Liza se blesse aux traces laissées par l'être aimé comme aux arêtes vives d'une vitre à travers laquelle elle serait passée cent fois sans se couper. Elle n'est pourtant pas sans profiter des facilités accordées à ceux dont le regard rend toutes choses transparentes ! Toute jeune, elle découvre l'appartement du musicien en cours d'aménagement : filmée par Ophuls, l'errance de l'adolescente au sein des pièces en désordre devient un parcours initiatique où la curiosité se transforme en ferveur. Mais jamais la nécessité vitale qui pousse le corps de porte en porte n'a pour conséquence cette mobilité fiévreuse et incontrôlable qui est le lot des grandes amoureuses romantiques. Attentive, la caméra parcourt l'espace en calquant au plus près les hésitations et les tressaillements de l'âme, amenant à la lumière — semble-t-il avec mille précautions — les frémissements de l'être profond. Ce voyage dans le jardin secret de l'autre ne s'apparente nullement à une découverte de l'amour, mais traduit plutôt la certitude d'aimer. L'univers sentimental se limite à quelques lieux et à quelques objets (partitions, fleurs) dont le choix pourrait faire sourire si l'on ne connaissait la valeur qu'y attache la raison. Quant à la passion, la ténuité de ses apparences n'a d'égale que la force exceptionnelle de son abandon. Rien ne la destine à être un accomplisse-

La rencontre

ment de la vie, pas plus qu'elle ne saurait transfigurer la créature qui se livre à elle en pleine connaissance de cause. La note dactylo-graphiée qui, au bas de la lettre, rappelle que la patiente est morte avant d'avoir pu conclure, contraste avec la calligraphie de Liza, brusquement interrompue. Voici l'arabesque de l'écriture mise en fuite par la mort, entraînant avec elle le frémissement dont les mou-vements de caméra portaient la trace. Triomphe l'absence des cho-ses, disparition pure et simple de toutes les richesses et de tous les possibles.

Loin de témoigner de quelque malédiction liée à l'art d'aimer, le drame naît de la valeur accordée par chacun à l'acte d'amour. Stefan vit au hasard des rencontres possibles, chaque femme étant une occasion supplémentaire d'accroître la quantité de plaisir dérobé à l'existence. Liza n'existe que pour l'instant où l'être aimé reconnaîtra en elle le double qu'il a si longtemps cherché. Un soir, au coin d'une rue, la rencontre a bien lieu. Le travelling avant subjectif (selon le regard de Stefan) sur Liza semble répondre à l'attente amoureuse, mais la rapidité de ce mouvement rectiligne trahit celui qui l'entreprend. Le corps de la femme, enveloppé dans une cape noire, se réduit à n'être qu'un visage, et le regard direct de Stefan ne cherche pas à pénétrer au-delà de ces apparences. Perdu dans sa féerie solitaire, le musicien persiste à vêtir sa compagne vespérale des apprêts mystérieux dont bien des poètes (y compris les plus médiocres) habillent leurs muses. Il se persuade d'avoir trouvé en celle qui se refuse à lui livrer son nom, l'inaccessible inspiratrice qui saurait le délivrer de ses angoisses d'interprète. Plus prosaïquement, Ophuls montre que l'inspiratrice en question pourrait bien n'être qu'un antidote passager à des admiratrices imbéciles s'exclamant que « Mozart n'aurait pas fait mieux ! ». Habitué à prendre les corps sans se préoccuper des âmes qu'ils abritent, Stefan est insatisfait d'une étrange liaison dont il ne peut percevoir le sens.

Son attitude contemplative jette constamment le doute sur ses intentions réelles. Que veut-il en fait ? Profiter d'une déesse de beauté ? Comme Faust voyant surgir Hélène de Grèce, il éprouve un autre soir, bien des années après la première rencontre (Liza est alors bourgeoisement mariée à un militaire), le contact des splendeurs d'une femme épanouie. Il connaît ainsi l'expérience de la beauté après celle de l'amour. Voudrait-il retrouver « *ce regard aimé, le premier, vite senti, à peine compris qui, fidèlement retenu, eût dépassé l'éclat de tous les trésors* »[6], il n'a qu'un geste à faire : reconnaître l'identité de celle qui s'offre. Hélas, sa mémoire n'a rien retenu de la jeune amoureuse d'un soir, et il laisse échapper sa dernière chance. Ophuls se garde bien de juger le personnage, de le dépeindre sous les traits peu flatteurs d'un égoïste uniquement préoccupé de son désir de jouissance. C'est en pleine irresponsabilité que cet artiste à la recherche de l'inaccessible sacrifie celle qui se livre à lui corps et âme.

L'exercice de la liberté, on le sait, est indissociable de l'erreur : Stefan se trompe en gérant son existence selon la loi des pourcenta-

6. Faust. Seconde partie.

90

Joan Fontaine et Louis Jourdan

ges, espérant vaguement qu'au milieu de toutes les femmes qu'il
rencontre, il se trouvera bien une « déesse » pour lui servir la potion d'infini qu'il réclame. Face à l'incarnation de la beauté et de
l'amour, il s'étonne et veut préserver le mystère de l'apparition là où
la nature humaine aspire à la reconnaissance. Pour lui, la véritable
« inconnue », c'est la vie harmonieuse dont tout le mouvement interne consiste à profiter des possibles sans s'arrêter à la jouissance
superficielle permise par une simple consommation des apparences.

Evidemment, Ophuls ne nous laisse rien ignorer de ce qui échappe à Stefan. L'harmonie des déplacements de la jeune fille, la tranquille sûreté de ceux de la femme consciente de sa beauté, témoignent assez de l'aveuglement de l'homme. Mais il serait trop simple
que cette distance du mouvement d'amour au regard qui l'ignore
échappe à la conscience de celle qui en souffre. L'amoureuse serait
alors simple victime sur laquelle le spectateur pourrait s'apitoyer.
Commentant elle-même ses gestes ou ses inclinaisons, Liza ne

91

cesse jamais de contempler le spectacle qu'elle offre. Ainsi l'être profite pleinement du visionnement de sa propre expérience, ainsi l'esprit parvient, au moment où l'existence s'achève, à un stade ultime de compréhension et de sensation dans la lecture de sa propre vie. De l'enfance à l'âge adulte, la totalité de l'histoire d'une femme est ainsi embrassée par une caméra dont la principale vertu est de paraître servir des désirs de « sécession » du personnage. Qu'aurait dit Freud d'une telle manière de procéder ? Aurait-il vu en Ophuls un nouveau « *double* »[7] à éviter ? Toujours est-il que cette façon de faire accorde à l'image une grande liberté. L'espace plastique, soumis aux lois géométriques, peut s'écarter de la ligne du discours sans en altérer le sens. Afin de ne pas ignorer les richesses du texte qu'elle commente, l'image doit obligatoirement faire surgir pulsions et tressaillements, s'attachant étroitement aux activités de l'inconscient féminin. En elles-mêmes, les subtiles oscillations sentimentales et sensitives dont la caméra semble faire nécessité d'existence n'ont aucune signification objective. Mais elles participent d'une véritable conception polyphonique de l'écriture cinématographique dans laquelle la superposition des discours se développe aussi bien verticalement qu'horizontalement. De cette manière, rien n'est ignoré, et tout participe d'un mouvement d'ensemble dont la finalité est d'exister dans la clarté.

Un tel idéal pourrait recevoir nombre de qualificatifs historiques dont — tout à fait subjectivement — on privilégiera celui de « mozartien ». C'est sur l'air de Papageno « Ein Mädchen oder Weibchen » (curieusement chanté en italien...) de « La Flûte enchantée » que Liza descend avec superbe le grand escalier de l'opéra, après avoir aperçu Stefan pour la première fois depuis des années. Choix on ne peut plus ironique de la part d'Ophuls (le personnage de Papageno n'étant pas le dernier à savoir accorder sa sensibilité instinctive et la conscience de son devoir amoureux) et qui ne laisse guère de doute sur la croyance du metteur en scène dans les capacités de son art à participer au mouvement de la vie. L'intense arabesque qui accompagne la trajectoire de Liza fuyant le sujet de son désir (un des plus beaux mouvements de caméra de toute l'œuvre), accomplit une pulsion inconsciente d'amour qui ne saurait rester sans suite : tout naturellement, Stefan retrouve Liza devant l'opéra. Peu avant, un autre escalier, une autre arabesque, avaient permis de réunir dans le même mouvement les amants séparés par l'espace. Tout porte à croire qu'Ophuls accomplit ce que Liza désire, mais

7. Cf. supra pp. 57-58.

Joan Fontaine

jusqu'où la mise en scène peut-elle ainsi accompagner et révéler les pulsions sans céder à son propre éloge ?

L'équilibre idéal entre les différents discours (verbal, musical, plastique) dont profite *Lettre d'une inconnue* traduit apparemment une grande confiance dans la capacité de la représentation à trouver naturellement son chemin entre ordre et liberté. Ophuls n'est pourtant pas sans connaître le caractère aléatoire d'une telle réussite. Conscient du caractère méphistophélique et fatalement mensonger de toute figuration, il n'oublie pas de mettre ostensiblement en valeur ce que la lucidité de Liza doit à la mise en scène. Ainsi ce plan où l'adolescente observe du haut d'un escalier l'arrivée du pianiste et d'une conquête anonyme, qui se répète (même cadre, même angle de prise de vue, même lumière, même mouvement d'appareil) lors de l'apparition de la jeune femme, le soir où elle s'offre à Stefan. La narratrice profite évidemment d'une vision directe de son expérience, mais sait-elle pour autant ce que cette dernière doit aux pulsions surgies de l'inconscient ? Toute vie possède sa part de mise en scène, qui elle-même ne dépend pas obligatoirement de l'activité souterraine de l'esprit[8] : *Lettre d'une inconnue* se heurte aux territoires où s'enlisent souvent les mouvements de « séces-

8. Voir Alain Masson, la gravité du frivole, dans *Positif* n° 232-233, juillet-août 1980.

sion » (et la psychanalyse avec eux…), sans pourtant que leur nécessité vitale puisse être remise en cause. Contrainte de s'éprouver a posteriori à travers la représentation de son propre cheminement, l'existence ressent la vérité comme relative là où elle l'espérait absolue. « *Rien n'arrive par hasard, chaque instant est mesuré, chaque pas compté* » est-il dit dans la *Lettre*. Étrange aveu que la représentation dément à chaque instant en multipliant les combinaisons de trajectoires, de regards, de frôlements ! Le système des possibles ne serait-il donc qu'une illusion, une vue de l'esprit, un piège aussi vite ouvert que refermé, dans lequel viendraient s'engluer quelques papillons livrés aux caprices de leurs sens ? N'y aurait-il vraiment qu'une seule figure admissible, celle de *La Ronde* ? Songeons seulement que celui ou celle qui éprouve à l'instant même où elle survient la modification de sa trajectoire (la langue triviale y voit un « coup de foudre ») ne peut croire au hasard qu'en contrôlant de très près sa raison. Sans ce mouvement quasi instinctif de la lucidité, l'idée du destin s'impose à lui comme elle s'impose à Liza aux dernières minutes de son existence. Trop réaliste pour croire l'homme ou la femme capables de concrétiser le rêve faustien de rébellion contre la destinée, Ophuls préfère définir une harmonie relative où la frontière qui sépare l'inconscient du conscient est sans cesse traversée par une héroïne sous le regard de laquelle tout devient immédiatement transparent, conscience masculine comme décor de l'enfance, motivations secrètes comme gestes anodins.

Joan Fontaine (Liza) et Art Smith (le domestique muet)

94

Louis Jourdan et Art Smith

Peu de femmes, je crois, qui n'aient été profondément émues à la vue de *Lettre d'une inconnue*. Elles y reconnaissent trop bien cet instinctif attachement à la vérité des choses qui est le leur, cette étroite dépendance qui les enchaîne au mouvement de la vie bien plus étroitement que ceux dont il leur arrive de partager l'existence. L'éternel féminin selon Ophuls est un principe de bien dont l'activité permet aux êtres ou aux choses de dévoiler leurs qualités naturelles. L'homme est surpris par un tel privilège et choisit de lui conférer un statut presque sacré. Ne parvenant pas à soumettre les qualités de l'âme féminine aux exigences d'une raison dominatrice, il choisit de s'en éloigner. La femme reste donc pour lui une éternelle « inconnue » qui finit par mourir de l'amour qu'elle garde en elle. L'écho tardif de son cri enrichit le silence dont son compagnon est entouré : à la fin de *Lettre d'une inconnue*, un domestique muet révèle à Stefan le nom de sa mystérieuse correspondante. Les sens, on le voit, ne sauraient en rien suppléer à l'aveuglement de l'esprit.

VII

L'ACTION MEURTRIÈRE

Caught, The Reckless Moment

Robert Ryan (Smith Ohlrig) et James Mason (Larry Quinada) dans *Caught*

Quinze ans se sont écoulés depuis *Liebelei*. Ophuls a perfectionné son savoir-faire artistique, et le créateur spontané s'est doublé d'un admirable virtuose. Sa morale repose sur les bases solides d'une tradition dont Hitler n'a pu vaincre les forces vives. Son humanisme goethéen le pousse à faire de la féminité une source de bien, tout en affirmant que liberté et erreur sont inséparables. Marguerite, la jeune amoureuse qui meurt de l'abandon de Faust, se retrouve aussi bien en Christine qu'en Liza. Mais si elle révélait au héros désabusé que l'expérience de la beauté et celle de l'amour sont indissociables, c'était en pleine transfiguration céleste : peu préoccupée d'élévation, l'héroïne de *Lettre d'une inconnue* propose à Stefan d'être une déesse accessible et terrestre. Antinomie, évidemment, dont l'homme s'intrigue et s'inquiète, tout aveuglé qu'il est par la logique de son narcissisme. Ainsi, en ignorant la beauté profonde de la femme prête à se donner par amour, il pêche contre le genre humain. Persistant dans son refus de voir, il peut devenir criminel, odieux ou tout simplement ridicule. Désormais, Ophuls sera enclin à la sévérité envers des personnages masculins dont la bassesse et la veulerie sont l'indice d'une réalité de plus en plus crue. Le moraliste va gagner en férocité.

Caught (1948) profite pleinement de cette épuration éthique du style. Contemporain de *Lettre d'une inconnue*, ce film en est le versant sombre, la face cachée ou, du point de vue de la société qu'il critique, inavouable. Vienne cède la place à une Amérique livrée aux pulsions les plus primitives et les plus bestiales : l'expression du rejet d'un univers pétri d'idées simples et de fausses valeurs est nette et sans appel. Une conception du monde qui voit en l'action une finalité autant qu'une vertu est attaquée et mise en pièces. Ophuls se heurte de front à l'idéologie dominante du libéralisme américain, cette conséquence d'un esprit puritain dévoyé qui voit en la multiplication des biens matériels le meilleur moyen de gérer un patrimoine terrestre confié à l'homme par Dieu[1].

Pour le milliardaire Ohlrig (Robert Ryan), qui a épousé sa femme, Léonora (Barbara Bel Geddes) uniquement pour défier son psychanalyste, la vie se résume à une suite de gestes brutaux, de trajectoires rectilignes, de combats contre les objets rebelles (l'obsession du flipper revient comme un leit-motiv), d'humiliations infligées à ceux qui ne savent pas gagner. A la recherche de l'efficacité maximale des actions et des décisions, ce personnage (auquel Robert Ryan confère une densité quasi minérale) ne permet jamais à son corps de risquer un mouvement ou un contact qui pourrait remettre en cause la logique volontariste dont il se prévaut. Agir sans cesse, sans trève, sans égard pour ses contemporains, mesurer le temps à l'échelle de ses décisions sans s'occuper de leur valeur morale, telle est la conduite de cet entrepreneur autocrate qui pourrait servir d'emblème à bien des « décideurs » dont aime à s'enorgueillir la société industrielle contemporaine. Fier de ses réalisations, de ses usines, de son capital, prêt à en donner le spectacle à tout moment, il ne supporte pas qu'un être s'écarte du domaine de la représentation et de l'action : si Léonora se permet de rire pendant la projection d'un film d'entreprise, elle reçoit l'ordre de quitter la pièce. Courte et brutale, l'explication qui s'ensuit permet de délimiter une frontière au-delà de laquelle s'étend l'espace masculin, et Ophuls abandonne les arabesques pour aller à l'essentiel : un panoramique autour du corps de Léonora montre que ce dernier est l'unique domaine où peut se réfugier la femme. Le reste du territoire, la maison d'Ohlrig, est une véritable prison sans barreaux où tous et toutes se déplacent le plus vite possible, c'est-à-dire en ligne droite... Mise en ordre par un valet aussi cynique que médiocre pianiste (double méphistophélique de Stefan Brandt ?), l'habitation tout entière est le signe d'une féroce domination qui, faute de pouvoir s'exercer directement d'un corps à l'autre, exige l'intervention du décor.

Dans l'univers Ophulsien, cette irruption de la violence froide se

1. Voir Max Weber, « L'Éthique protestante et l'esprit du capitalisme », Plon 1964.

100

Robert Ryan (Smith Ohlrig) et Barbara Bel Geddes (Léonora) dans *Caught*

traduit par la cristallisation d'un lieu autour d'une émotion : c'est dans l'escalier à angle droit que Léonora apprend que son époux veut la priver de leur enfant, c'est contre une porte qu'elle s'épuise vainement, alors qu'Ohlrig est occupé à se déchaîner contre son flipper. La densité tragique de cet espace clos s'exprime finalement par un enchaînement hallucinant de scènes (crise cardiaque et mort d'Ohlrig, mort de l'enfant de Léonora) qui sont autant de cassures et de failles dans le bloc d'un film où toutes les tensions existent à l'état de lignes droites impitoyablement liées : Ophuls multiplie les affrontements entre Ohlrig et son rival, le docteur amoureux de Léonora, et une construction où les corps s'opposent selon la diagonale du cadre peut fort bien précéder un travelling brutal (le long d'une échelle) qui accompagne la femme revendiquée par les deux hommes. Sans cesse concrétisée par de telles figures, la confrontation directe aboutit à la catastrophe, et l'enfant meurt « *afin que Léonora retrouve sa liberté* » (ce sont les propres termes du docteur). Celle qui voit ainsi son corps déchiré est-elle aussi désespérément « libre » qu'il y paraît ? La réponse qu'apporte le plan final est sans ambiguïté : Ophuls reprend l'image qui ouvrait *La Signora di Tutti* (La femme couchée sur un lit d'hôpital et filmée en plongée) avant que le masque somnifère ne s'abatte. Prisonnière du cadre, littéralement écrasée par l'angle de prise de vue, Léonora paraît définitivement vouée à l'immobilité, donc à la mort.

Pas plus que ceux qu'il méprise, l'ascétique milliardaire si satisfait de sa puissance n'échappe au théâtre du monde. Face à l'amour de sa femme offert à l'état brut, il connaît la nécessité de répondre par une mise en scène élaborée « *qui choisit son lieu et son jeu* »[2]. Loin de se contenter d'éloigner celle dont il rejette les sentiments amoureux (son tempérament ne l'incite pas aux douces contemplations traversées de frémissements émotifs dont se grisent Stefan Brandt ou le Donati de *Madame de...*). Sa logique de l'action le pousse à détruire tout ce qu'il ne peut conquérir. Utilisant sans remords les moyens dont il dispose, il veut anéantir de l'intérieur (en faisant de l'enfant désiré l'enjeu d'un conflit de possession), et de l'extérieur (en exerçant une pression psychologique par l'intermédiaire du décor) le corps et l'esprit de sa femme. Sans cesse occupé à fuir sa propre réalité physique — Léonora ne parvient jamais à l'embrasser —, il semble fait d'un marbre sur lequel rien ne peut avoir de prise. Mais la roche se fissure lors de crises cardiaques qui provoquent d'insoutenables distorsions et fractures, jetant à terre cet insensible bloc d'énergie dont le seul but est d'écraser l'autre.

A travers lui, Ophuls prononce sa condamnation de tout un système de société qui s'éprouve dans l'action et se perpétue en elle. Triomphe de la conscience bourgeoise, l'esprit d'entreprise — qui accorde une valeur suprême à l'accomplissement du faire — dévoile son vrai visage. En créant de toutes pièces un rituel de la puissance dépourvu de sens moral, Ohlrig privilégie les moyens au détriment de l'idée[3], s'interdisant, par le mouvement même de son activité, de percevoir la place du bien et du mal. Minable Prométhée acharné à faire disparaître tout ce qui entrave sa liberté de mouvements, il ne peut que répandre la mort autour de lui. Qu'elle soit moderne Cendrillon ou « Marianne made in USA » (Godard), la femme n'a pas sa place dans une croissance aussi totalitaire. L'espace sentimental qu'elle offre est étranger à ces lieux inhumains où l'action se

2. Alain Masson, « La gravité du frivole », *Positif* n° 232-233, p. 40.
3. Voir Jacques Ellul, « Métamorphoses du bourgeois », Calmann-Lévy 1967, p. 262-289.

dévore elle-même. Aux prises avec un tel tyran, elle est une utopie vivante, et comme telle destinée à être détruite. Que veut en effet la puissance à l'état pur ? Dépouiller l'univers de tout ce qui subsiste de « *médiocrement humain* »[4]. Ainsi mise en lumière, l'attitude d'un grand chef d'entreprise des temps modernes révèle le néant moral qui la fonde et la vivifie. L'enfant meurt car un homme aussi dépourvu d'éthique ne saurait transmettre le mouvement de la vie : Ophuls examine jusqu'au bout les conséquences de son humanisme.

Caught, sans doute, illustre trop bien ce schéma aisément accessible à tout observateur lucide des réalités contemporaines. Mais son auteur ne s'attache guère à la description d'un univers dont il perçoit rapidement la vacuité éthique et intellectuelle. Les habiles explorations ethnologiques de Lang, qui saura plus tard (avec *Beyond a Reasonable Doubt*) organiser la représentation du va-et-vient entre l'image et la réalité caractéristique de la société bourgeoise, n'intéressent pas Ophuls. Une civilisation réduite à invoquer l'action de conquête d'un « Ouest » mythique comme seul principe d'identité l'ennuie, car il croit en avoir perçu les dimensions limitées.

The Reckless Moment (1949), son dernier film américain, témoigne sans équivoque de ce refus quelque peu lassé. Un couple formé par la mère d'une meurtrière et le commis — écœuré par les nécessités de l'action (il finit par restituer l'argent réclamé) — d'un maître-chanteur, semble perdu au milieu d'un univers en mouvement qui leur est totalement étranger. Arabesques brisées, lignes droites interrompues, travellings fulgurants et panoramiques à toute volée dessinent une errance soumise à la plus extrême agitation. Pléthorique, haletant, le dialogue ne recouvre plus aucune nécessité et la fatigue envahit peu à peu des corps déjà ternis par l'existence. Un travail affiné sur les bruits de l'espace industriel (sur les sons liés à la voiture, notamment : claquements de portières, démarrages, coups de freins) rend encore plus sensible l'opposition entre l'homme et le milieu déjà illustrée dans *Caught* lors de la folle course de l'ambulance qui emportait Léonora vers l'hôpital. En outre, *The Reckless Moment* laisse apparaître pour la première fois une dimension de l'épuisement qui prendra de plus en plus d'importance au sein de l'œuvre. James Mason incarne parfaitement cette immense part de lassitude qui vient au jour et traduit les angoisses d'Ophuls devant un monde où la puissance se développe sans signification ni

4. id., p. 283.

103

destination. L'agonie de son personnage voit la cohérence du discours verbal disparaître peu à peu, pour laisser la place au souffle de la mort : Madame de…, Le Modèle, Lola Montès, connaîtront aussi ce poids mortel de la fatigue.

Aussi faut-il fuir l'Amérique. Le héros de *The Reckless Moment* repoussait l'action, mais le mouvement du monde le projette à nouveau dans une trajectoire rectiligne, celle d'un mobile (la voiture) qui achève sa course mortelle contre un obstacle (l'arbre). Le metteur en scène sait qu'il est illusoire de se réfugier dans la contemplation, et que l'action trouve sa justification dans une utilisation de ses ressources et de ses résultats au profit de tout le corps social qui l'appelle de ses vœux. Une des erreurs de Faust n'est-elle pas d'avoir conquis un territoire immense pour le seul plaisir de satisfaire sa soif de domination ? Les Etats-Unis, pour Ophuls, ne sont rien d'autre que cet espace gagné sur l'étendue au profit d'un « *univers de la puissance sans signification, qui réduit à rien tout ce qu'elle atteint, en créant indéfiniment les biens que seule elle justifie, et qui fait habiter le néant au cœur de toute entreprise de l'homme précisément à cause de l'excès de cette puissance* »[5].

Ne voulant ni perdre son âme ni s'épuiser à en préserver les richesses, il rentre en Europe.

5. id.

Joan Bennett et James Mason dans *The Reckless Moment*

VIII
LA TENTATION DE MÉPHISTO
La Ronde

Gérard Philipe (le Comte) près du manège de *La Ronde*

Vienne et Schnitzler, une fois encore. Mais la violence feutrée de *Liebelei* apparaît au grand jour avec la scandaleuse « Reigen » (« La Ronde »), écrite en 1897, publiée à compte d'auteur en 1903, créée à Berlin en 1920 et dans l'ex-capitale de l'empire des Habsbourg en 1921. « *Histoire de lupanar du juif Schnitzler (...) la chose la plus dégoûtante que l'on ait jamais vue au théâtre (...) la pornographie la plus lubrique (...). C'est le devoir des catholiques viennois de se grouper pour de puissantes protestations* »[1], peut-on lire dans un journal de l'époque. Une campagne de dénigrement savamment orchestrée par les critiques de théâtre provoque de violentes manifestations et la pièce est interdite quinze jours après la première. « *Ce que la vérole a épargné sera dévasté par la presse. Avec le ramollissement cérébral de l'avenir, la cause ne pourra plus s'établir avec certitude* »[2], écrivait Karl Kraus.

A la sortie du film en 1950, l'aphorisme est toujours d'actualité. « *Une gigantesque partie de saute pin-up, un carnaval du pince-séant, une anthologie du "Tu viens chéri, y'a le feu chez moi"* » selon *France-Dimanche*, « *Un film scandaleux (...) Toutes les formes de liaisons irrégulières y sont complaisamment passées en revue* » pour *Radio-Cinéma-Télévison* (l'actuel *Télérama*), la palme de l'hypocrisie revenant au critique de la *Neues Osterreich* qui, situant la création de la pièce en 1896, feint de s'étonner que « *cette exquise petite brise de l'âme* » ait pu « *enflammer le cœur de nos pères* »[3]. La quasi totalité des articles élogieux soulignent à plaisir la « *fi-*

1. Cité par Derré, op. cit. p. 345.
2. Kraus, op. cit. p. 79
3 et 4. Articles cités par Claude Beylie, *La Ronde*, présentation et découpage, *L'Avant-scène du cinéma* n° 25, 15 avril 1963, p. 43.

nesse », « *l'élégance* » de ce « *petit théâtre mondial* » habité par un « *monde d'ombres* »[4]. Quant au succès public du film, il est considérable.

Du théâtre au cinéma, le scandale ne se répète pas. Faut-il y voir la conséquence d'une libéralisation des mœurs, l'Europe de l'après-guerre paraissant plus tolérante que l'Autriche catholique des années 20 ? Ce serait aller un peu vite en besogne, et oublier qu'une nouvelle sortie en salle de *La Règle du jeu* déchaînait à peu près au même moment l'hystérie de la foule bien-pensante des beaux quartiers parisiens. Ce serait aussi faire fort peu de cas de tous les blocages d'une société impuissante à panser les plaies ouvertes par la guerre. Les quelques mots cités plus haut et glanés ici et là suffisent à nous renseigner sur l'ambiguïté d'un succès aussi important : cette représentation crue d'une réalité guère enthousiasmante apparaît comme un simple jeu de l'esprit. Le cinéma masquerait-il donc à ce point la vie, qu'Ophuls n'inquiète apparemment pas là où Schnitzler avait fait scandale ? Un seul personnage peut répondre à cette question, l'ordonnateur du mouvement d'ensemble dont le cinéaste impose la présence à l'homme de théâtre, le Meneur de jeu inventé pour les besoins de l'écran. Ce « metteur en scène bis » a pour première fonction de protéger le film contre le scandale et la censure : l'instant où il coupe un grand fragment de pellicule en interrompant net la scène d'amour entre le comte et la comédienne suffit à en témoigner. Ophuls s'abrite ainsi derrière une représentation qui s'avoue comme telle et qui s'expose à être considérée comme dissociée de l'existence réelle.

Mais loin de biaiser avec les conditions imposées par le texte de la pièce, il choisit de faire étalage de tout son savoir-faire, s'exposant à donner en spectacle les moyens qu'il emploie tout en courant le risque de détacher un peu plus les formes de leur signification. Le Meneur de jeu n'est donc ni plus ni moins modeste que la logique le réclame, et il n'aura nullement pour fonction de masquer la virtuosité et le brio d'une mise en scène qui doit imprimer une unité plastique et dramatique à la succession de huit fragments d'un théâtre amoureux possédant chacun leur unité de lieu et de temps. Car pour Schnitzler, *La Ronde* est l'occasion rêvée de servir la tradition du théâtre de troupe. D'une durée moyenne d'un quart d'heure, chacune des huit saynètes ne peut donner l'occasion aux éventuels acteurs cabotins de tirer profit de telle ou telle réplique pour se mettre en valeur. Tous doivent s'intégrer le plus rapidement possible au

mouvement d'ensemble, faute de quoi ils surchargent la ronde d'une signification dont elle n'a que faire (son seul objet, par définition, est de tourner...), la ralentissent et la font purement et simplement disparaître.

Loin de *Liebelei* et de son quatuor d'inconnus, Ophuls s'assure la collaboration d'un certain nombre de vedettes confirmées du cinéma français de l'époque. Il a pleinement conscience que le public attend untel ou untel au détour d'une scène, et sait aussi que la personnalité propre de certains acteurs (Jean-Louis Barrault, Gérard Philipe, Fernand Gravey) risque de ne pas lui permettre d'imposer la précision tyrannique requise par son sujet. Pour éblouissante qu'elle soit, cette distribution pourrait donc faire éclater l'œuvre en de multiples fragments indépendants les uns des autres, et les nécessités du tournage réclament un principe d'unification. La dynamique de l'enchaînement exige que le metteur en scène descende dans l'arène ou délègue ses pouvoirs d'une manière suffisamment visible pour que personne ne soit dupe. Loin d'être l'intrus abusive-

111

ment convié à une fête dont il serait le gardien moral, le Meneur de jeu voit sa fonction justifiée par la difficulté du pari : d'une telle réunion de glorieuses individualités, parvenir à dégager assez d'énergie pour que la ronde puisse tourner sans à-coups.

Ophuls, évidemment, n'est pas naïf au point de confier ainsi une partie de ses prérogatives à un assistant dénué de tout scrupule sans souligner dès l'ouverture ce que ce pacte a de diaboliquement faustien. *« Je suis l'incarnation de votre désir... de votre désir de tout connaître »*, affirme le Meneur de jeu au spectateur comme Méphistophélès à Faust. De son illustre prédécesseur littéraire — et du diable en personne — le complice d'Ophuls possède à fond l'art de la transition et du passage, mais profite aussi du don d'incarnation, surgissant au cours des scènes sous de multiples apparences (garçon de café, portier, simple voisin ou passant). Comme Méphistophélès, il est avant tout un sinistre pourvoyeur de plaisirs, et sous son influence chaque personnage succombe à la tentation de la chair. Sitôt les désirs assouvis, le spectacle un peu triste d'êtres livrés au vide de leur condition semble le réjouir, et il ne ménage pas ses commentaires, la plupart du temps calmement distillés sur l'air d'une valse. Le fauteur d'intrigue attaché à Faust *« ne s'intéresse qu'à la coucherie et tient la mystique amoureuse pour pure simagrée »*[5] : il lègue au Meneur de jeu une sinistre conception de l'homme pour laquelle *« l'amour n'est qu'illusion et mensonge, et la seule réalité c'est le désir »*[6]. On le sait, Ophuls n'a guère confiance dans les capacités de ses personnages de mettre à profit les leçons faustiennes, et les successeurs du héros goethéen ne montrent aucune aptitude à gérer leur existence au-delà d'une vue à court terme soumise aux besoins du moment. Méphisto peut sans peine ressurgir sous la forme d'un préposé au manège dont la décontraction cache mal la lassitude : tout ce travail ne le motive guère. Par ailleurs, Ophuls ne tient pas à le voir envahir un monde déjà bien assez peuplé, et il le lui fait savoir. Dès la première séquence, un travelling latéral tangentiel au cercle décrit par le carrousel suit le Meneur de jeu qui contemple son instrument. Le mouvement d'appareil détermine une ligne droite dont le point de contact avec la circonférence parcourue par la ronde est unique : fatalement, les apparitions du personnage seront ponctuelles, ce qui suffit amplement à entretenir le mouvement général. Peu avare de ses travellings ou de ses panoramiques pour conférer à son Méphisto de fête foraine une mobilité sans pareille, le véritable maître de la mise en scène

5 et 6. Lichtenberger, op. cit., p. LI.

assigne à ce double maléfique une position qui ne variera pas. Reste à ne pas lui permettre de mener le jeu à sa guise.

Car le tout n'est pas d'avoir limité les prérogatives du Meneur de jeu, il faut aussi lui apprendre à s'effacer devant les nécessités d'un texte et à se mettre au service d'une action qu'il ne doit pas exploiter pour son propre compte. Ophuls doit donc détourner un peu de l'énergie dramatique consommée par les personnages — celle que son double contrôle à l'aide du manège — afin de s'assurer la maîtrise du film. Un seul élément peut profiter de ce détournement sans que l'équilibre entre les deux composantes du cinéma (dramaturgie et plasticité) ne risque de se remettre en cause : le décor. Guère d'autre choix que d'expérimenter (comme le fait Renoir dans *French Cancan* ou Rossellini dans *La Peur*) une sur-signification du cadre où évoluent les personnages. Car si le Meneur de jeu peut à la rigueur contrôler l'ordonnancement du décor, il est loin de pouvoir lui conférer un sens dynamique.

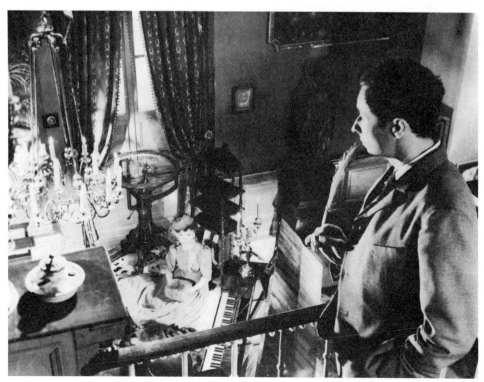

Odette Joyeux (la Petite) et Jean-Louis Barrault (le Poète)

Ainsi le film progressera-t-il selon une logique du rétrécissement étrangère à la pièce, la dimension des chambres s'amenuisant au fil des scènes. Schnitzler, jouant de la succession des cellules closes, avait offert le spectacle étouffant d'un univers limité aussi bien verticalement qu'horizontalement. Le langage véhiculait l'essentiel de la dramaturgie, abandonnant peu à peu les périphrases pour s'intéresser à l'objet même de son mouvement, ce désir qui s'exacerbait au contact de son propre aveu. Relégué à l'arrière-plan de la dialectique qui lui imposait d'être le signe précis de la position sociale des uns et des autres, le décor ne pouvait prétendre à satisfaire les exigences d'un espace cinématographique où tout doit être enchaînement de point de vue, donc mouvement. Nécessairement signifiant, (du moins pour tout cinéaste digne de ce nom), il devait être pris en charge par une activité lui conférant la densité expressive profitable au texte. Mais les obligations d'Ophuls sont telles que cette activité elle-même devient la marque d'une rhétorique ambitieuse qui prend le risque de tendre à l'autonomie, donc au mensonge. En détournant le flux de l'action théâtrale pour mieux irriguer le milieu où celle-ci se déroule, la mise en scène pourrait fort bien ériger le décor en absolu (comme chez Sternberg), ouvrant un conflit au sein même de la représentation en laissant l'image se développer à partir du texte dont elle capte les forces vives.

Conscient de ce danger, Ophuls choisit de déterminer sa trajectoire de plasticien au plus près de la signification profonde du discours schnitzlerien. *La Ronde* se réduit à être un catalogue de poses non ornées, poses des personnages comme celles de leur environnement. L'urgence à exprimer le désir va de pair avec le rétrécissement du décor — c'est le principe dynamique du film — et l'arabesque disparaît sans avoir jamais eu le temps de s'épanouir. Aux travellings nerveux et ostentatoires des premières scènes succèdent peu à peu des mouvements de caméra s'apparentant aux traits heurtés et jaillissants des caricaturistes. Systématiquement, les corps sont livrés au travelling arrière ou latéral et les panoramiques apparient les couples pour mieux les projeter dans le mouvement rectiligne. Paradoxale, cette ronde organisée à partir de lignes droites ? C'est oublier qu'Ophuls s'attache aux sensations éprouvées par les corps, donc doit prendre en compte la force centrifuge qui s'exerce sur eux et les exclut du mouvement tournant. Sans savoir que les trajectoires rectilignes sont le signe d'une soumission à un ordre des choses qui interdit toute liberté de déplacement, on pourrait presque espérer que les personnages, par le jeu de l'exclusion, parviennent à échapper au Meneur de jeu. Mais c'est la ronde qui commande tout, et tout se ramène à elle. Ophuls a beau multiplier les interventions au cœur du décor, celles-ci courent toujours le risque de servir les desseins de Méphisto.

De toute évidence, pas de désaccords entre le maître et son double : tous deux pensent avec Schnitzler que l'amour, s'il est communion des cœurs et entente des esprits, n'a plus sa place dans la société bourgeoise. Tout au plus peut-il subsister en tant que marchandise, prétexte à échanges rapides et à vaines passades. Recouvert d'un vernis imperméable à toute lumière du jour, l'espace de *La Ronde* est à l'image d'une société gouvernée par un ensemble de règles visant à enfermer le sentiment dans le carcan des apparences. Chaque objet, chaque corps présent dans cet aquarium a un rôle précis et participe à un cérémonial de consommation du plaisir. Sous la contrainte de pulsions excitées par le Meneur de jeu, les personnages s'adonnent au plaisir physique sans pouvoir échapper aux conséquences de leurs actes, et l'amour se dissout dans la fatigue et l'odeur moite des chambres calfeutrées.

Telle qu'Ophuls l'envisage, la succession des décors de *La Ronde* doit au moins autant à Balzac qu'à Schnitzler[7]. La vérité des êtres est traquée à travers une reconstitution minutieuse de leur univers « naturel » d'apparences matérielles et sociales. Dans ce subtil distillat de comédie humaine, tout communique sans que les dialogues recouvrent une signification autre que celle appelée directement par les nécessités de l'action. Le vide se dévoile sous le vernis, et l'accumulation des postures révèle le véritable néant sur lequel se bâtit un grand nombre d'existences moroses que rien ne contribue à peupler. Voilà démasquée et renvoyée à sa terrible insignifiance la morale bourgeoise pour laquelle « il y a un temps pour tout » : un temps pour la prostitution (la Fille et le Soldat), un temps pour les jeux de la séduction (le Soldat et la Femme de chambre), un temps pour le droit de cuissage (la Femme de chambre et le Jeune homme), un temps pour l'adultère (le Jeune homme et la Femme mariée), un temps pour le mariage (la Femme mariée et son Epoux), un temps pour les folies de l'âge mûr (l'Epoux et la Petite), un temps pour le plaisir romanesque (la Petite et le Poète), un temps pour le spectacle du désir (le Poète et la Comédienne), un temps pour le désir du spectacle (la Comédienne et le Comte). « *Un catalogue fait toujours sérieux. On sait où l'on va. Quant à l'amour, c'est pour le ro-*

7. Un des projets les plus ambitieux d'Ophuls consistait à réaliser une adaptation de « La Duchesse de Langeais », avec Greta Garbo et James Mason... cf. infra p. 218.

man — et il ne doit pas en sortir »[8]. Le Fils de famille, qui cite Stendhal, remet le sentiment amoureux à la place espérée par l'imaginaire bourgeois. Le reste est affaire de désir, qui tourne inlassablement dans les espaces clos et finit par s'exacerber, engendrant un développement du plaisir à l'état pur.

Le plaisir pour le plaisir, l'action pour l'action, la puissance pour la puissance, toute cette liturgie de la consommation s'incarne dans une figure apte à profiter du mouvement pour le mouvement. Inlassable consommatrice d'énergie, la ronde attire tous ceux pour qui « *l'amour n'existe pas* »[9], les rejetant vidés de leur besoin d'action sur les rives du sommeil ou celles du souvenir. Ophuls multiplie les contacts des personnages avec les objets du décor pour mieux montrer que le désir est un besoin concret à satisfaire par aussi concret que lui, le plaisir physique. L'un comme l'autre étant dépourvus de toute signification, l'être devient mannequin vêtu d'apparences et, sous le regard de l'autre, existe essentiellement en tant qu'objet de désir : ainsi la comédienne voit-elle le Comte, ce dernier possédant encore juste assez d'esprit pour être quelque peu conscient de sa singularité. Là où Schnitzler laissait encore ouverts quelques-uns des chemins qui s'enfoncent à travers l'espace des possibles (par exemple en situant la scène entre le Poète et la Comédienne dans une calme auberge de campagne, où le temps paraissait suspendu), Ophuls enferme impitoyablement tout son petit monde dans un volume réduit d'où nul ne peut s'échapper. Cédant à la tentation de Méphisto, il accomplit le rêve bourgeois dans la succession des postures, et décrit sans complaisance l'éternelle ronde de la bassesse et de la veulerie dans laquelle se complaisent des pantins pour qui la liberté est une erreur de la nature humaine.

Mais cette misanthropie elle-même n'est qu'apparente, et le film finit par échapper au Meneur de jeu. Un plan, un seul, suffit à ôter la mise en scène à celui qui en fait commerce spectaculaire pour la rendre de plein droit au serviteur du texte. Tout est question d'échelle : dans son univers de formes, Ophuls s'interdit presque d'employer le gros plan. Au va-et-vient entre le personnage et ses diverses apparences possibles suffit le plan moyen, qui traduit assez objectivement le jeu des convenances et des vérités. Voici pourtant que le Comte, seul d'entre tous les pantins à vivre son néant avec un soupçon de lucidité (mais les aristocrates de la Vienne moderne ne sont-ils pas les plus glorieux symboles du vide ?[10]), croit reconnaître le regard de la fille. « *Demeure encore, tu es si beau !* »[11] au-

8. Jacques Ellul. op. cit. p. 27
9. Phrase du Comte, coupée par Ophuls au montage. Voir *La Ronde, Avant-Scène du cinéma* p. 37.
10. Voir Broch, op. cit.
11. Faust, seconde partie, acte V, V. 11582.

Isa Miranda (la Comédienne) et Jean-Louis Barrault (le Poète)

rait-il pu (comme Faust) murmurer à l'instant dont il profite pour embrasser les yeux de sa compagne. Ophuls le fait pour lui et suspend la ronde le temps d'un gros plan, projetant au cœur de cet univers ordonné autour des postures corporelles l'image d'un lisse et grave visage de femme dont les dimensions troublent le jeu bien réglé des attitudes. Cette face méditative se préserve d'un Meneur de jeu jusqu'ici fort préoccupé de ne pas effaroucher ses personnages,

117

donc de respecter l'échelle donnée par le manège. Or elle appartient précisément au personnage (la Fille) qui doit clore la ronde, donner forme et vie à la figure de géométrie en accomplissant le mouvement d'ensemble... « *Mais j'ai peur d'une seule chose*, disait Méphisto : *le temps est court, l'art est long* »[12] : en un instant, le mouvement de la vie se dérobe à celui qui prétendait le posséder, et l'éternel féminin échappe à l'action du Meneur de jeu comme Marguerite, transfigurée, était protégée des méfaits du démon.

Loin de singer le triomphe d'une quelconque libération illusoire, le mouvement qui permet à la Fille de s'évader est un phénomène de retrait. La mystérieuse implosion du visage dans l'espace du film signe l'activité ininterrompue de la « sécession » dont Ophuls éprouve les bienfaits. La Fille semble absorbée dans un dialogue avec elle-même que la mise en scène ne cherche pas à explorer. Aucun sentiment ne vient au jour, le visage garde toute son impassibilité, la ronde ne le trouble ni ne le concerne. In extremis, la mise en scène se voit restituer sa morale et son autonomie. Le Meneur de jeu voulait que la femme, au même titre que l'homme, engage sa responsabilité dans le jeu du plaisir vite pris et vite consommé. Contre Ophuls, son double montrait que nécessité de jouissance aussi bien (sinon mieux) qu'amour pouvait entraîner le don de soi, et l'héroïne de *Lettre d'une inconnue* disparaissait derrière toutes celles qui savent susciter un désir qu'elles comblent avec appétit. Rapide comme l'éclair, le panoramique qui aboutissait au sommet du baldaquin du lit de la Comédienne pour révéler un miroir réfléchissant le couple enlacé, pouvait mesurer le vide d'un plaisir satisfait de l'image qu'il donne de lui : mouvement qui créait artificiellement un couple uni par le besoin du jouir, identique en esprit à cette valse immobile que dansaient la Femme mariée et le Jeune homme, dans un espace de boîte à musique... Tout cela est brutalement balayé, renvoyé au magasin des accessoires, rendu à l'univers des moyens d'expression dont l'autonomie mensongère a été mûrement éprouvée. En glissant entre texte et rhétorique le corps d'une image indifférente aux sinistres visées du Meneur de jeu, Ophuls a pris conscience que le vide est le meilleur complice du vide, et que la tentation de la virtuosité, de l'image pour l'image, constitue le côté démoniaque d'un art né au crépuscule de la révolution industrielle. Préserver la richesse des possibles cinématographiques signifie briser la ronde des images : voilà une éthique que Godard ne désavouerait pas.

12. Faust, première partie, V. 1787.

« *C'est comme si rien n'avait été. Et pourtant cela se meut en cercle comme si cela était. J'aimerais mieux le vide éternel* »[13] conclut Méphisto après la mort de Faust. « *C'est ainsi que finit la ronde* » constate mélancoliquement le Meneur de jeu. Ophuls peuple alors le néant de quelques trajectoires rectilignes dont le point d'intersection (le salut adressé par le Soldat au Comte, sur l'injonction du Meneur de jeu) se situe dans l'espace ordonné des apparences. En s'évadant de la ronde, la Fille a emporté la vie avec elle et l'animateur contemple son jouet vide : immobile et éteint, le carrousel ne peut plus servir à ordonner toute la typologie factice qui prétendait cerner les mouvements de l'âme. Le manège privé de mouvement devient le signe d'un système de formes promis au dépeuplement rapide. « *Tristesse sans fin d'un monde sans femmes* », aurait dit François Truffaut.

13. Faust, seconde partie, Acte V, V. 11602/3

Gérard Philipe (le Comte) et Simone Signoret (la Fille)

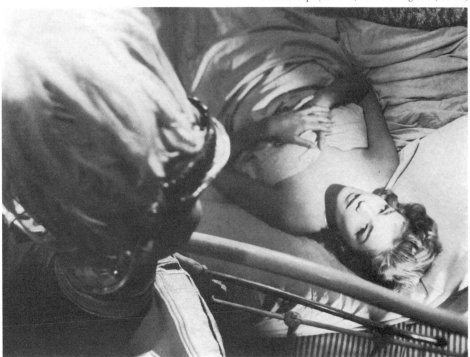

IX

BONHEUR TRISTE...

Le Plaisir

Jean Galland (le Masque) et Claude Dauphin (le Docteur) dans *Le Plaisir* (le Masque)

« *Le bonheur n'est pas gai* » : cette phrase, la dernière du *Plaisir* (1952), l'héroïne de *Madame de...* (1953) en découvre toute la réalité cruelle. Avec violence, Ophuls se détache un peu plus encore de l'idéal du monde qu'il observe. La France bourgeoise du dix-neuvième siècle finissant lui sert de cadre pour affirmer avec force son rejet d'un système de valeurs où tout n'est que bon crédit et mouvement des apparences. Condamnation nette et sans appel qui se cristallise autour d'un mot lourd de sens historique : le « bonheur » est cité à comparaître, pour que se dévoile son vrai visage.

En un instant, la Femme mariée de *La Ronde* glissait « plaisir » là où son époux songeait « bonheur ». Subtile dérive qui permettait à la conscience de se situer dans un espace vaguement excitant, au-delà de la morale et des convenances... Non sans quelque naïveté, la frivole dévoilait simplement l'existence d'une réalité du jouir débarrassée de tous ses oripeaux de convention. « *Ce soir, je veux que tout le monde soit heureux* » professe la patronne de la Maison Tellier[1]. Tout est affaire de consommation : celle des plaisirs est intimement liée à la notion de bonheur par la volonté d'une idéologie qui naît au moment même où s'effondrent les vieilles valeurs de l'humanisme chrétien. Les sociétés du moyen-âge et de la Renaissance ne connaissaient pas ce « droit au bonheur » qui est inscrit dans la constitution des Etats-Unis. Son invention date du dix-huitième siècle, c'est-à-dire de l'époque où l'homme voit sa morale s'édifier dans les cadres mêmes d'une société dont la religion ne

1. Rappelons que *Le Plaisir* est composé de trois parties correspondant aux trois nouvelles de Maupassant : « Le Masque », « La Maison Tellier », « Le Modèle ».

suffit plus à fournir l'éthique. Elle sert d'abord et avant tout « *une catégorie sociale qui n'obéit nullement à des philosophes, mais qui se découvre dans l'action et qui apprend que l'action porte le bonheur inclus en elle* »[2].

Les révolutions rentrées dans leurs lits, ce qui les avait précédées est prétexte à d'anodins divertissements et il devient urgent de contester au plaisir sa vraie valeur libératrice. La jouissance doit être justifiée, son énergie canalisée, faute de quoi la société tremblerait sur ses bases : si toute sensation devenait effectivement source de connaissance (comme le rêvaient les philosophes), l'ignorant aurait alors d'autant moins de difficulté à s'élever par le biais du savoir à la dignité d'homme libre. Désactualiser l'idéal des Lumières est une condition de survie pour une classe préoccupée avant tout d'exploiter les ressources humaines et naturelles en vue de produire des biens matériels ; entre l'individu et le plaisir se dresse l'idéologie du bonheur dont la fonction est de donner une apparence de moralité à la consommation des jouissances pour mieux cultiver le terrain favorable à l'éclosion de nouveaux besoins. Ainsi, « *plus la consommation augmente, plus l'idéologie du bonheur doit être puissante pour combler le vide de l'absurde du cycle engagé* »[3]. Avec inquiétude, Ophuls prend acte du pouvoir de plus en plus important exercé par une industrie de la publicité dont la fonction essentielle — à vrai dire peu ragoûtante — est d'entretenir la ronde du bonheur en excitant le besoin toujours renouvelé de produits dont l'acquisition est censée apporter le bien-être au consommateur[4]. De là sans doute que le représentant en bretelles et jarretières du *Plaisir* ou le bijoutier de *Madame de...* ne soient guère des modèles d'honnêteté intellectuelle : le cinéaste ne prend pas la peine de masquer la triste réalité du monde contemporain qui voit l'acte de vendre devenir le signe d'une certaine dégradation morale.

Le néant éthique est atteint lorsque cette activité sert le mouvement général qui engloutit les choses et les êtres dans la grande spirale de la vie à crédit. Mais pour éviter que toute cette vacuité apparaisse au grand jour, la bourgeoisie veut nécessairement l'argent complice de la vertu, achète le bon cœur pour mieux en travestir le plaisir. Ainsi agit le mari de *La Ronde* face à la Grisette, ainsi font les notables de la Maison Tellier, cette institution provinciale qui ne peut survivre qu'en vendant à la fois du bonheur et du plaisir.

Mais jouir n'est pas être heureux, et être heureux ne signifie nullement connaître le plaisir : de *La Ronde* au *Plaisir*, du *Plaisir* à

2. Ellul, op. cit. p. 103
3. id. p. 81
4. cf. infra pp. 183-185.

Madame de..., les personnages interprétés par Danielle Darrieux découvrent la réalité du masque social dont ils finissent par être les victimes. Errant au milieu de tous les bonheurs possibles et jamais réalisés, celle qui fut la plus célèbre ingénue du cinéma français semble de film en film découvrir avec naïveté et étonnement l'univers des sensations et des passions. Parvenir à animer d'un frémissement ce visage et ce corps si ordinairement élégants, parvenir à attirer à la lumière du jour un peu de la femme dissimulée derrière l'image frivole et rassurante chère à l'actrice : voilà l'indice d'un certain plaisir ophulsien dont Danielle Darrieux fut plus que tout autre la victime consentante. Libertinage insolent du jeu entre l'interprète et le metteur en scène, admirables prises de rôles et sentiments de complicité familière : « sans le théâtre, que serions-nous ? »

Ce regard aigu et terriblement lucide sur les réalités de la société bourgeoise de l'Europe industrielle ne peut s'affranchir de certaines nécessités. Ainsi celle qui consiste à prendre en compte la dégradation des rituels de dévotion : être chrétien au dix-neuvième siècle urbain, c'est essentiellement connaître le bonheur simple de la prière qui permet au fidèle de parvenir à une communion sentimentale avec le divin. Les touchantes invocations de Madame de à sa « petite sainte chérie », comme les larmes des filles dans l'église du *Plaisir*, sont les indices d'une religion en état de religiosité. Le mouvement de caméra qui balaye lentement le décor de la communion pendant que les sanglots des filles se propagent à travers toute la communauté dévoile un fatras dévotionnel qui semble évoquer des rites oubliés, ceux-là mêmes qui subsistent dans la nouvelle de Maupassant servant de base au scénario. Mais du délire collectif rapporté par l'écrivain le cinéaste ne retient rien : c'est dire combien cette séquence, si souvent invoquée pour fonder l'ascendance « baroque » du style, doit assez peu à une époque de l'histoire où le sentimentalisme était loin de régner sur les cœurs et les âmes.

D'un point de vue strictement documentaire, la description de Maupassant est inconstestablement plus fidèle à l'esprit de l'âge baroque que celle d'Ophuls. Le texte de « La Maison Tellier » s'attache à peindre l'état d'une dévotion campagnarde issue de la contre-réforme, avec son cortège d'images et d'apparitions dont l'inconscient populaire est friand[5]. La folie qui court dans l'église a tout du délire collectif appelé par une surexcitation de la foi que n'auraient pas reniée les prédicateurs dont les envolées lyriques fascinaient

5. Voir Tapié, op. cit.

125

Madeleine Renaud (Mme Tellier), Jean Gabin (Joseph Rivet) et les filles de la Maison Tellier dans l'église. (« La Maison Tellier »)

des auditoires avides et passionnés. Comme eux, Maupassant n'hésite pas à évoquer toutes les forces naturelles (le feu, l'eau, le vent) pour décrire le passage du divin dans l'espace de la prière collective. Son désir d'objectivité le pousse à accorder une égale importance au phénomène lui-même, aux commentaires que celui-ci suscite (le sermon du curé) ou à ses manifestations profanes (le banquet), au point qu'il devient bien difficile de déterminer qui, de Dionysos ou du Crucifié[6], est descendu sur l'assemblée...

Sous le regard d'Ophuls, seule a droit de cité l'émotion répandue par les larmes des filles, et le sentiment religieux qu'elle suggère traduit un état de contrition fort éloigné du mysticisme communautaire cher à Maupassant. Les pleurs des citadines se substituent à l'extase des campagnards sans pour autant que les survivances de l'ancien univers dévotionnel renoncent à se manifester : une des pièces religieuses les plus sobres et les plus poignantes de Mozart[7] accompagne l'interminable mouvement de caméra (travelling puis panoramique) qui, sans s'attarder sur l'assemblée, aboutit à l'autel puis se met en devoir de suivre une double guirlande d'angelots montant et descendant le long d'un rayon de soleil. Plus que toute autre, cette dernière figure suscite la référence à l'imagerie « baroque », pour peu que l'on réduise cette dernière aux Anges du Bernin[8] surpris en plein bal sacré.

6. On se souvient que Nietzsche oppose l'un à l'autre. Voir Paul Valadier, « Nietzsche et la critique du christianisme », Edition du Cerf 1974, pp. 524-584.
7. Il s'agit de l'*Ave verum corpus KV 618*. On peut en trouver une exécution satisfaisante sous la direction de Rafael Kubelik dans le disque Deutsche Grammophon 419 060-2.
8. Ceux évidemment, du baldaquin de la basilique Saint-Pierre de Rome. Voir le très beau livre d'Yves Bonnefoy, « Rome 1630 », Flammarion 1970, pp. 14-42.

126

En introduisant au centre de gravité de la séquence (entre les mouvements le long des deux guirlandes d'angelots) un plan de coupe du clocher de l'église, Ophuls cherche surtout à traduire le sens originel d'un système d'images ancien. L'image « enracine » la figure en pleine terre, la rend indissociable du milieu où elle signifie une manifestation du divin. En même temps, la valeur de la « sécession » féminine s'accroît, la douleur vive de celles qui imaginent avoir offensé Dieu semblant acquérir plus de sincérité au contact d'un univers aussi pénétré de dévotion : « *Tout l'opposé d'une élévation spirituelle, un retour à la terre rugueuse, au quotidien prosaïque, un recul et un détachement qui confèrent aux pleurs des filles leur dimension véritable : non point mystique mais biographique, une rentrée en soi* ».[9] Loin du regard étonné de l'écrivain qui observait un phénomène sans trop le comprendre, Ophuls s'attache au mouvement de transformation que connaît la dévotion depuis l'âge des Lumières, et parvient à concrétiser le passage du mysticisme à la contrition par lequel toute la société bourgeoise expulse la religion en tant que réalité sérieuse[10]. Un temps encore, et le sentimentalisme de Madame de s'exerce dans une église vide, un bijou étant offert à la « petite sainte chérie » pour sauver de la mort l'amant adoré. Geste aussi dérisoire que le christianisme dégradé dont il procède.

On comprend sans peine la séduction que les textes de Maupassant opèrent sur Ophuls : l'auteur du « Horla » possède une connaissance intime de la « France des ténèbres » propre à passionner le cinéaste de *La Fiancée vendue*. Nombre de ses nouvelles sont traversées d'un courant dionysiaque parent de celui qui permet à la veine picaresque des acteurs ambulants bavarois de s'exercer aux dépens des mythologies chrétiennes ou des contes populaires. En plus, son talent à révéler les possibilités tragi-comiques de situations observées sur le vif est indissociable d'une certaine économie de moyens l'éloignant radicalement des outrances naturalistes. Aussi sceptique qu'Arthur Schnitzler en ce qui concerne l'issue du combat entre le bien et le mal dans le cœur de l'homme, il partage l'art de celui-ci à définir un personnage d'un trait ou d'une notation subjective, sachant dégager avec précision le détail apparent qui trahit le moi sous le masque. Evidemment, ses farces lourdes et ses tragédies ordinaires l'éloignent de la subtilité propre à l'écrivain viennois, et la complexité des rapports humains ne semble guère l'attirer que d'un point de vue quantitatif. Procédant par accumulation minutieuse de comportements, il étudie les hommes en zoolo-

9. Barthelemy Amengual, « La mémoire et le mouvant », *Positif* n° 232-233, p. 55.
10. Voir Ellul, op. cit. pp. 72-75.

127

giste fasciné par la multiplicité des passions ; le monde lui apparaît dans son infinie variété, plein de couleurs et de sensations ne demandant qu'à être saisies et retranscrites. Tout en étant prisonnière d'une évidente jouissance immédiate du verbe, son écriture allie la rusticité à la finesse d'expression et témoigne d'un appétit de comédie humaine bien fait pour plaire à Ophuls. Mais aussi souvent que nature et terroir imposent à ses textes leur présence régénératrice, l'appel à Dionysos court le risque de se transformer en invocation panthéiste qui peut séduire par sa puissance, sans que l'on puisse pour autant se méprendre sur son caractère pulsionnel : si mouvement de retrait il y a (par exemple dans « Une Vie »), celui-ci s'interrompt en chemin, la communion avec les forces « naturelles » empêchant le personnage d'accéder à son propre moi.

Comme il l'avait fait pour Zweig, Ophuls récrit les nouvelles de Maupassant en ne laissant subsister que l'essentiel du discours, retranchant volontairement « *la dérision, les sarcasmes, l'irreligion, le pessimisme voyant (...) bref le regard engagé du narrateur* »[11]. La précision de la lecture dévoile le sens de l'anecdote sans rien trahir de la volonté critique de l'écrivain et libère la phrase des contingences misérabilistes dans lesquelles le style se complaît parfois. Pour qui s'arrête à l'apparence des choses, la métamorphose que le cinéaste fait subir aux laiderons de « La Maison Tellier » dépasse l'entendement, mais elle est pourtant dans la logique d'un art qui ne dissocie jamais l'être profond du vernis dont il se recouvre. Les filles sont belles malgré tous les stigmates de l'usure corporelle, disait Maupassant (pensée bien petite-bourgeoise en vérité), les filles sont belles un point c'est tout répond Ophuls. Ainsi celle qui « boitait un peu » peut « *se déhancher outrageusement* », une autre qui « ne cessait de parler que pour manger et de manger que pour parler » verra ces deux fonctions essentielles remplacées par leurs cousines en légèreté, le « *boire* » et le « *chanter* ». La grimace ainsi chassée, le sens apparaît dans toute sa brutalité. Ophuls n'hésite pas à ridiculiser un peu plus les notables qui perpétuent l'ordre établi sous couvert de moralité, et il invente un dialogue savoureux dont les effets dévastateurs sont redoutables. L'hystérie naturelle de tous ces mâles privés le temps d'une soirée de leur exutoire quotidien surgit avec la violence des pulsions contenues. A ce stade de la narration, le spectateur n'ignore plus rien de l'irrésistible énergie qui anime les êtres à la recherche du plaisir et peut donc éprouver sans peine la dimension de leur frustration lorsque ce dernier se refuse à eux.

11. Amengual, op. cit. p. 52.

Le Masque au Palais de la danse.

La première nouvelle, « Le Masque », renoue avec la veine dionysiaque de *La Fiancée vendue* ou *L'Exilé* : le travelling avant qui entraîne irrésistiblement le regard vers la porte du Palais de la danse se prolonge à l'intérieur du bâtiment par un panoramique accompagnant le personnage masqué qui se précipite sur la piste de danse. Ophuls élimine tout ce qui, dans le texte, pourrait occulter la vitalité d'un mouvement qui se dérègle peu à peu (Maupassant décrit un groupe de masques), et organise un savant désordre de sons, de mots jetés aux quatre vents, d'entrées et de sorties du cadre. Précise et cinglante, la prosodie du narrateur ne se détache que mieux d'un univers où le langage, à travers le tumulte d'une fête riche en bribes de conversations, se constitue en force spontanée et dissolue. La phrase semble posséder le pouvoir de guider l'image à travers le chaos du bal, le mouvement d'un plaisir livré à lui-même se dissociant de la détermination intellectuelle inséparable de la parole ordonnée.

Sans Meneur de jeu pour empêcher les protagonistes de vivre jusqu'au bout les conséquences de leurs émotions et de leurs passions, le système rhétorique de *La Ronde* se dérègle. Débordant le texte qui la soutient, l'image propose au désordre décrit par le récit une représentation ouverte à tous les possibles, donc particulièrement propice à l'exaltation fiévreuse de la mobilité des corps. Le rythme de la danse imprime au jeu social dans lequel toutes les classes communient une folle pulsation qui se nourrit de sa propre vitalité, mais doit s'interrompre un jour ou l'autre sous l'effet de la fatigue. Tributaires du rythme d'ensemble, les apparences se constituent en sujet de représentation, et finissent par imposer au moi un diktat suicidaire dont seul profite le mouvement social. Le bal n'est que la traduction symbolique de la réalité d'une société lancée à corps perdu dans une recherche de l'action pour l'action sans autre but que de profiter au plus vite de toutes les possibilités réservées aux jouisseurs. Devant une telle force primitive, le narrateur est contraint de laisser l'image devenir autonome : tout s'enchaîne alors à la vitesse de l'éclair et le vernis a tôt fait de dévorer les corps, adhérant à la surface de l'être comme le masque au visage. Le médecin qui tente de séparer la fausse peau de la vraie pourrait être un Meneur de jeu arrivé sur le tard — il en possède l'apparence : chapeau et cape — qui assiste impuissant aux effets du plaisir.

« *Offenbach*, disait Ophuls, *c'est la musique de ma vie* »[12]. Dans l'histoire du cinéma, aucune opérette filmée n'est plus près de la réalité profonde de chefs-d'œuvre comme « La Vie Parisienne » ou « La Belle Hélène » que cette séquence d'ouverture. Les mêmes obsessions, la même vue lucide et impitoyable sur la société de la Belle Epoque s'y retrouvent, le même jugement sur la vacuité d'un univers livré aux caprices du mouvement pour le mouvement y transparaît. Comme Offenbach, Ophuls fournit à son univers de personnages l'énergie nécessaire pour vivre jusqu'au bout sa folie passionnée, et comme lui, il constate avec dépit que rien ne peut arrêter la machine du plaisir dans sa course à l'abîme.

12. Cf. infra p. 182.

Il pourrait se satisfaire du constat : mais Goethe lui enseigne qu'un système de formes peut aussi se risquer à proposer la représentation d'un système de valeurs destiné à remplacer son prédecesseur trop dégradé. Au cours du dix-huitième siècle, nul mieux que le solitaire de Weimar n'a su se montrer sceptique devant l'idéologie de l'action triomphante. L'idéal de Faust est un idéal de renoncement : sous peine de voir la mort se répandre autour de lui, le Titan doit accepter de limiter son activité, de renoncer à la connaissance absolue. Cette sagesse semble pénétrer au cœur du *Plaisir* et inspirer le lent mouvement de grue ascendant qui dévoile un champ parsemé de fleurs et de femmes : discrète mais remarquée, la figure paraît renvoyer à leur vaine agitation les formes qui simulent et attirent la jouissance. L'espace préservé qu'elle définit permet à l'océan de la sensualité, l'instant d'avant agité par le vent de désir, de devenir mer étale. L'harmonie de l'homme, de la femme et du monde s'incarne dans un jeu de lumière et d'attitudes à l'image d'une beauté d'un autre temps, *« rêve d'une haute synthèse où l'unité sociale et l'immédiate présence de la nature seraient confondues »*[13] Dans le regard posé par le paysan (Joseph Rivet) sur la fille de la ville (Madame Rosa), toute une conscience de l'idylle impossible rend le bonheur présent moins gai encore, mais combien plus précieux... Ophuls s'offre enfin la satisfaction de suspendre le temps pour contempler son Arcadie [14] volatile. Plaisir de filmer devient bonheur de voir.

Un champ, des fleurs, quelques femmes, et le rêve des origines pourrait appeler de ses vœux un idéal cinématographique où la composante plastique l'emporterait sur la composante dramatique : cette simplicité naïve, cette nudité presque, ont elles-mêmes valeur éthique. Abandonnant pour quelques instants le tissu serré des arabesques et l'univers étouffant des décors, Ophuls s'impose un renoncement dont profite l'éternel féminin. Hier et demain marchandises soigneusement enfermées dans une boîte bien close (où la caméra ne pénètre jamais), toujours indissociables des murs qui les abritent, les filles éprouvent enfin leur qualité d'être humain au cœur de l'unité retrouvée du monde. Le paysage étonnamment familier où se disperse *« l'éclatante charretée de femmes qui fuyait sous le soleil »* surgit de notre mémoire : l'Arcadie se révèle en un éclair grâce à un mouvement de caméra intimement lié à la ligne du récit. Au-delà des noirs et des blancs de la pellicule, l'excitation dynamique et plastique conjuguée à la puissante expressivité de la prose de

13. Starobinski, op. cit. p. 159
14. L'Arcadie est une contrée imaginaire où règne un bonheur pastoral. C'est l'Arcadie de Sannozzaro (Naples, 1504) qui constitua le modèle de bien des représentations littéraires et picturales de ce pays rêvé. Voir Starobinski, op. cit. p. 159-171.

L'« éclatante charretée » au milieu des blés.

15. Ce en quoi Ophuls rejoint admirablement Goethe et son idée de la lumière. Il peut être intéressant de considérer cette séquence du *Plaisir* sous l'angle de l'essence goethéenne de la couleur. Voir Rudolph Steiner, « Goethe et sa conception du monde, » Fischbacher 1966, pp. 41-73 et 145-175.

Maupassant font surgir les couleurs des champs, le panoramique qui accompagne la carriole roulant entre les blés contribuant à libérer les images de notre mémoire sensuelle. L'intensité poétique de cette activation ne se départit jamais d'une économie formelle qui témoigne d'une action réfléchie de la pensée sur la nature. Rien n'existe ni ne surgit hors du champ de la caméra car rien n'existe ni ne surgit (y compris la réalité accessible à la perception) hors de l'esprit de l'homme[15]. Ainsi, c'est en regardant vivre les personnages à travers une mise en scène permettant à leur nature de s'incarner en pleine lumière que le spectateur éprouve la validité (sinon la signification) de son activité sensuelle, et acquiert un peu plus de connaissance sur lui-même. Les mœurs en deviennent-elles pour autant moins féroces ? Ophuls aimerait bien croire que le développement de la moralité est lié au recul de l'ignorance, mais sa lucidité ne lui laisse aucune illusion sur l'efficacité réelle de son art.

132

Aussi le dernier plan du *Plaisir*[16] vient-il clore abruptement l'espace arcadien ouvert avec le panoramique sur les champs de blé : soigneusement ignoré jusqu'ici, l'horizon (une ligne droite...) réapparaît avec dureté. Au lieu d'inciter à la communion des esprits, la nature provoque la déchirure des cœurs et la jeune fille (le Modèle) se dispute avec son amant au cours d'une promenade sylvestre (accompagnée par un travelling latéral) propice à la rêverie romanti-

16. Le Peintre pousse la chaise roulante du Modèle le long d'une plage, sous un ciel lourd...

Le Modèle (Simone Simon) et le Peintre (Daniel Gélin) *(Le Modèle)*

que. Persistant à ignorer celle qui s'offre à lui, le Peintre ne veut voir en elle qu'un personnage figé dans un classicisme marmoréen et totalement irreprésentable (pour lui qui, nous dit-on, persiste à ne pas oser le nu...) sans le recours aux artifices de la posture. Contemplant les admirables mouvements d'une femme-objet, sans cesse préoccupé par la vente de ses toiles, il s'enfonce de plus en plus dans le domaine concret qu'il prétendait éviter : lors de l'entrevue finale qui conduit au drame, il manie avec hargne le ciseau de sculpteur. Hier lié à la lumière, aujourd'hui rivé au bois (détail rajouté par Ophuls), il indique calmement à celle qui lui crie son amour la voie vers le suicide. Sous les doigts de l'ami pianiste qui tente de calmer la jeune femme ressurgit le thème dansant du « Masque » : Ophuls condense et cristallise en un instant le bloc de forces mortelles dont « La Maison Tellier » avait pu laisser espérer la disparition. Car l'ami est aussi le narrateur de l'histoire (un des nombreux masques pris par Maupassant) et devient donc le Meneur de jeu. Tout est en place pour que la mécanique s'embraye à nouveau, et un mouvement de caméra subjectif transforme l'arabesque en figure de mort, la montée de l'escalier, l'ouverture de la fenêtre et la chute à travers la verrière devenant à travers le regard de l'héroïne une seule et même action sans fin où la pulsion précipite l'être dans le vide qui s'ouvre sous lui. En conclusion, le peintre pousse selon une trajectoire rectiligne la chaise roulante où gît la femme paralysée.

Morale de l'histoire ? « *Comme la vie était finie pour lui, il n'eut plus qu'à travailler* », conclut le narrateur avant de lacher sa sentence sur le bonheur. Non qu'il s'agisse là d'un éloge de la paresse, mais le travail n'est que la face exploitable de l'action, donc ne saurait pour Ophuls posséder de valeur en soi. Loin de toute compréhension des désirs des êtres, la société marchande se tourne vers la production des choses et celle-ci, fût-elle industrieuse (le peintre ne semble pas manquer de talent), ne tient aucun compte des besoins exprimés : la femme n'avait pas demandé à être peinte et vendue, mais à être vue et aimée.

Triste masque pour justifier l'injustifiable, le bonheur a tôt fait de révéler sa vraie nature et n'intéresse plus guère. Reste donc le plaisir dont il faut bien s'interroger sur la valeur éthique — ce que la société bourgeoise refuse de faire. Fidèle aux idéaux des lumières, Ophuls sait que la liberté n'est pas permise à l'ignorant. Sa fonction de metteur en scène l'amène à éclairer la réalité du monde par le biais du spectacle, et son plaisir personnel de cinéaste participe du mouvement de la vie au même titre que celui du spectateur. Sacrifier l'un à l'autre serait faire preuve de malhonnêteté, maintenir l'équilibre entre les deux suppose qu'il y a une morale et une vérité, voire une beauté, dont la valeur n'est ni locale ni temporaire. Elles seules peuvent justifier cette merveilleuse fonction « naturelle » du plaisir rêvée par les libertins — être une source et une méthode de connaissance vraie de l'âme. Etat fugitif, transitoire, fait d'innombrables contingences auxquelles nul ne peut échapper, la jouissance court le risque de s'abîmer dans le mouvement du monde, tout en lui apportant suffisamment d'énergie pour perpétuer sa violence aveugle et sans but (« Le Masque »), peut tout aussi bien servir le rêve lumineux d'une Arcadie heureuse (« La Maison Tellier ») ou se retourner brutalement contre une femme abusée par le langage du bonheur, prise et délaissée par l'homme trop vite satisfait (« Le Modèle »). Le plaisir devient un instrument au service de la vérité, ce que ni les Lumières ni Goethe n'auraient renié.

Le Peintre devenu graveur sur bois

X

... ET PLAISIR NOIR

Madame de...

Charles Boyer (le Général), Danielle Darrieux (Madame de), et les boucles d'oreilles...

Avec *Le Plaisir*, Ophuls accède à la pleine maîtrise de son art. Le metteur en scène tenaillé par les tentations liées au spectacle parvient à assujettir aux nécessités de l'expression l'extraordinaire force dionysiaque de son élan créateur. En soumettant cette vitalité à l'exercice de la sagesse, il évite à l'affranchissement d'être trop brutal et la source d'énergie, sans jamais se tarir, devient l'objet d'un renoncement actif dont les formes profitent. « *Le flot de la vie a été détourné et contraint de couler dans ce lit étroit où il mène grand tapage* » écrivait Rainer Maria Rilke à propos d'une nouvelle de Schnitzler[1]. La formule aurait admirablement convenu au *Plaisir*.

Reste à se débarrasser de Méphisto, à s'affranchir des obligations rhétoriques imposées par tous ces doubles chargés de prendre en charge l'ordre de la narration. Car travaillés et modifiés dans le but d'une adaptation cinématographique — rien d'autre, au fond, qu'une lecture de plasticien — le texte de la *Lettre*, celui de *La Ronde*, ceux des nouvelles du *Plaisir* scellent la dépendance étroite de l'image et du texte. C'est dire que les mots semblent encore détenir un sens précis — fût-il anecdotique — donc justifier la confiance qui paraît être mise en eux. Or, la plupart des dialogues en témoignent, le langage lui-même n'est qu'apparence, ne recouvre aucune réalité concrète et perd tout pouvoir de signification — lorsque le mouvement de l'action ne l'éparpille pas aux quatre coins du cadre (le bal du *Plaisir*). Il est donc nécessaire que cette contradiction se résolve et que l'image gagne encore en autonomie pour traduire

1. Il s'agit de « Lieutenant Gustl » Cité par Derré, op. cit. p. 156.

139

Danielle Darrieux (Madame de) et Vittorio de Sica (Fabrizio Donati) : la valse.

plastiquement une réalité située au-delà d'une ligne verbale soigneusement ordonnée. C'est le pari de *Madame de...*, film on ne peut plus risqué pour Ophuls, dans la mesure où il ne repose sur rien : tant le script tiré d'un roman à l'eau de rose de Louise de Vilmorin, que les dialogues signés par un écrivain boulevardier à la mode (Marcel Achard), imposent au cinéaste l'obligation d'un travail sans filet analogue à celui entrepris pour *Sans lendemain* ou *La tendre ennemie*. Au cas où le système de signes se désorganiserait,

« Je ne vous aime pas, je ne vous aime pas, je ne vous aime pas ».　　　Vittorio de Sica et Danielle Darrieux.

rien ne peut ordonner un possible réajustement du sens. Derrière la banalité des échanges, la vérité doit apparaître sans apprêts, faute de quoi ressurgiraient les pantins de *La Ronde*.

Pari gagné, évidemment. Attentif à fournir (en bon Meneur de jeu) assez d'énergie à l'histoire pour qu'elle ne s'arrête pas, Ophuls construit un film où les personnages glissent sur les mots comme sur une surface lisse tout en communiquant à travers attitudes et objets dans un enchaînement parfait de motivations et de satisfactions. Le spectateur est d'autant plus étonné de l'inéluctable drame qui se noue peu à peu que les protagonistes semblent tous communier dans un même style de vie dont ils ne sont que les émanations. Leur brillante éloquence les laisse sans ressource devant l'impérieuse domination de la passion qui se manifeste chez une femme futile et parfaitement heureuse. Vivante apologie du bonheur (du moins est-ce ainsi que son mari aime à se la représenter), Madame de découvre non sans inquiétude que tout le vernis moral jeté sur le plaisir s'évanouit au contact des réalités physiques de la passion amoureuse. Au fur et à mesure que son trouble progresse, elle mesure la valeur dérisoire d'un langage de conventions dont la seule fonction précise est de traduire un vague sentiment de bien-être ou d'inconfort. Les mots ne disent plus rien du trouble vécu par les amants, et ceux-ci seraient bien en peine de trouver les termes nécessaires à l'expression de leurs transports. Dans un univers sémantique aussi déserté, tout peut survenir, notamment une chose et son contraire. « *Je ne vous aime pas* »[2] traduit l'emprise du sentiment amoureux mais exprime aussi une volonté d'exorciser la passion à l'aide du verbe. Futiles et insignifiantes défenses d'une raison devenue « bon sens »

2. Cette phrase devient peu à peu le signe le plus évident de la complicité amoureuse qui unit Madame de à Donati.

141

Charles Boyer (le Général) et Jean Debucourt (le bijoutier) : la circulation des boucles d'oreilles

social et bourgeois : « *La femme que j'étais a fait le malheur de celle que je suis devenue* », lance Madame de trop tardivement lucide.

Tous les personnages ont en commun de consommer les signes de réussite sociale propres à leur classe. Parties de chasse, bals, soirées à l'opéra ou conversations dans des clubs privés leurs permettent de se donner mutuellement l'image d'une condition harmonieuse et bienheureuse. Mais qu'un objet se charge d'un sens étranger à sa destination première, et il devient facteur de danger en remettant en cause l'admirable circulation des mots et des choses dont s'honore cette société grisée de ses propres lumières. Ainsi les boucles d'oreilles — à l'origine simple élément du décor de Madame de — se chargent, au hasard de leur circulation, d'un poids affectif qui finit par devenir signe de passion, donc de scandale. Personne ne leur accorde la même valeur, mais tous partagent le même respect pour l'objet, symbole de bonheur : bonheur affiché de la respectabilité sociale pour le mari, bonheur du cadeau secret pour l'amant, bonheur attaché au témoignage amoureux pour Madame de. En sa qualité d'emblème, le bijou est exposé aux regards, mais l'héroïne doit alors mentir sans relâche pour parvenir à donner le spectacle de son triomphe bienheureux. A l'amant elle raconte une chose, au mari une autre, permettant ainsi à l'apparence de se rire de la logique. Son jeu n'a qu'un temps, et après avoir vidé intentionnellement les mots de leur signification, elle est piégée par le vide qu'ils recouvrent et finit par ne plus exister qu'en dehors d'eux, grâce aux vertus et aux difficultés d'un souffle qui s'éteint peu à peu. Le frivole petit accroc à son bonheur conjugal qu'elle commet en revendant le bijou devient lourd de sens : malgré les apparences, aucune action qui perturbe un tant soit peu l'ordre établi ne saurait rester sans conséquence.

Car à travers l'itinéraire de son héroïne, Ophuls achève sa peinture d'une société peu préoccupée de respecter les qualités naturelles de l'individu. Si bien huilée, si satisfaite du spectacle qu'elle offre, cette mécanique destinée à produire le bonheur s'enraye peu à peu sous l'effet de la fatigue de ses habitants. Toutes les figures de la narration semblent destinées à engendrer l'épuisement, soit qu'elles révèlent la difficulté des corps à se mouvoir dans un espace de plus en plus rétréci (la valse), soit qu'elles révèlent des possibilités dramatiques insoupçonnées : les escaliers notamment paraissent placés sur la trajectoire de Madame de pour l'essouffler un peu plus. L'espace qu'ils ouvrent devient le lieu où s'exalte le mouvement d'une passion incontrôlée qui ne reconnaît plus son théâtre. Cette femme représentait superbement sa classe sociale en gravissant le grand escalier de l'opéra au bras de son mari, mais peu à peu, la fatigue qui l'accable se charge de signification par la seule vertu de malaises et d'évanouissements qui trahissent la progression du sentiment amoureux.

Si cher au matérialisme ophulsien, l'art des passages permet d'exposer l'être aux yeux de la multitude, en révélant l'état de sa mobilité. Le grand théâtre des escaliers agit alors comme un immense réseau de signes où une société organisée en strates se rassure en ne reconnaissant comme significatives que les différences de niveau. L'escalier en colimaçon qui mène au bureau du bijoutier mesure la dégradation progressive de l'héroïne avec autant d'objectivité qu'un appareil médical, sans toutefois livrer plus d'informations que la stricte dramaturgie n'en réclame. Incapable de tenir son rôle sur la scène sociale, Madame de ne se préoccupe plus guère de l'économie de ses efforts et dilapide petit à petit le crédit qu'elle possède au profit du bijoutier qui voit toute cette dynamique amoureuse se convertir en espèces sonnantes et trébuchantes à chaque passage du bijou entre ses mains. La cote personnelle de sa cliente est au plus bas, mais lui-même vit du scandale qui consiste pour

L'épuisement

Vittorio de Sica

une femme de cette qualité à mettre l'action au service de la passion. D'une manière ou d'une autre, la société marchande ne laisse rien perdre des énergies qu'elle met en jeu. Lola Montès éprouvera jusqu'au bout la logique d'une exploitation qui laisse l'individu en proie à la fatigue absolue.

Ainsi triomphe le spectacle social qui finit par installer le néant au cœur de l'être vidé de sa propre énergie. A force d'être mouvement, Madame de n'est plus que souffle et regard : avant le duel, c'est un corps réduit visuellement à l'état de voile noir qui court vers l'église. Un coup de vent et la silhouette devient figure, le personnage s'effaçant derrière l'arabesque qui le servait jusque-là. Cette terrible logique des formes retire à Madame de les derniers lambeaux dont l'apparence s'ornait pour imposer la douloureuse présence d'un « éternel féminin » soumis à la souffrance et à la fatigue.

Mais Ophuls, depuis *La Ronde*, a découvert que la fonction spectaculaire de la mise en scène risquait d'entraîner l'artiste à se faire complice de l'action gratuite et que la fabrication des images recélait bien des maléfices. Se substituant au Meneur de jeu ou au narrateur, il avance à visage découvert et libère ainsi toutes les énergies dissimulées derrière les masques. Si la tendance contemplative, ironique, de son art s'incarne sans peine dans l'amant de Madame de (Fabrizio Donati), la tendance dionysiaque, révoltée, se commue aussitôt en puissance de mort, prenant corps dans le mari (Le Général) qui considère la fatigue de son épouse comme une obscénité dont il faut à tout prix éviter de donner le spectacle. Fidèle à Goethe (celui de Pandora) Ophuls se garde bien de choisir entre Epiméthée et Prométhée, et reconnaît à chacun une dignité égale, loin de la tradition grecque qui opposait l'irréflexion brouillonne du premier à la prévoyance active et bénéfique du second[3] ; de plus, il leur assigne un territoire précis : au militaire (gardien du feu) l'univers raide et droit de l'activité diurne, à l'ambassadeur (contemplateur de la société) le monde des passages et des transitions, celui des errances au cœur des bals nocturnes. Nul besoin de souligner ce que le choix de deux professions aussi opposées a de significatif, le duel final ayant pour prétexte une réflexion ironique de Donati à propos du rôle des militaires — qui par définition prônent la ligne droite là où les ambassadeurs suggèrent l'arabesque. Comme Stefan (*Lettre d'une inconnue*), le héros désenchanté n'a même pas le loisir de connaître le court sommeil du matin et subit passivement sa des-

3. Voir Goethe, « Pandora », présentation et traduction d'Henri Lichtenberger, Aubier-Montaigne 1950.

145

Charles Boyer et Danielle Darrieux

tinée, se permettant une ultime et élégante méditation soucieuse
(« *Il vous tuera — Peut-être* ») devant celle qu'il aime. Le culte
nostalgique et douloureux qu'il voue à la beauté ne trouve un réel
accomplissement — voire soulagement — que dans la mort. N'en souffre, une fois encore, qu'une « inconnue » trop légère pour être Pandore[4]. Alors que Liza proposait à Stefan l'expérience conjuguée de
l'amour et de la beauté, Madame de la refuse d'abord à Donati en se
dérobant par le mensonge et la frivolité pour mieux attiser un mouvement du désir qu'elle veut croire sans signification. La réalité de
son amour lui prouve son erreur, mais il est déjà trop tard : l'ultime
bal assure la domination du Général, définitivement maître du jeu
car seul détenteur de toutes les informations lui permettant d'avoir
une vision nette et sans ambiguïté de la situation réelle. Personne
d'autre que lui ne peut rendre compte de l'itinéraire compliqué des
boucles d'oreilles, véritable Carte du Tendre se dessinant de Paris à
Constantinople. Comprenant parfaitement tous les mouvements du
bijou, il peut donner un sens aux actions de l'un ou l'autre des
amants. Ceux-ci n'ont accès qu'à une partie de la vérité, et se retrouvent donc dépossédés d'eux-mêmes : « *Je ne suis déjà plus avec
vous* », dit Donati à Madame de, alors qu'un travelling arrière les
entraîne dans son sillage à la rencontre de leur Meneur de jeu. Ce

4. Cf. supra p. 90.

Charles Boyer et Vittorio de Sica (de dos) : l'annonce du duel

mouvement de caméra soumet l'ironie à l'ordre de l'action révoltée. Rien de plus dangereux, rien de plus mortel.

Car ce Prométhée n'est qu'apparence, et non conscience. Là où le héros classique ou goethéen pressentait le sens de sa révolte contre la divinité, son héritier moderne se contente d'agir sans trêve. Au-delà du bien et du mal, il est prêt à toutes les tricheries pour créer une situation dans laquelle il agit toujours de plein droit. Commettant l'adultère, il confie les boucles d'oreilles à la maîtresse dont il s'est lassé, amorçant ainsi le piège qui perdra les amants. Sans le savoir ? Qu'importe... « *Le hasard a ceci d'étonnant qu'il est naturel* », comme il le dit lui-même. « *Voulant ajouter aux principes la force qui les rend efficaces, cette parole se laisse gagner par la violence qu'elle veut dompter. Sans rien perdre de son éclat, le langage limpide des principes devient la parole tranchante de l'action* »[5] : ainsi naissent les terreurs. En parfaite figure sadienne, le Général révèle peu à peu la signification profonde de principes d'action aisément commuables en gestes de mort. De simple processus logique, le raisonnement devient signe de la violence la plus extrême. L'uniforme noir transforme le corps en « *bloc d'abîme* »[6] dont l'intrusion de plus en plus pesante au sein d'un film scintillant et soyeux prend l'allure d'un cauchemar : l'héroïne voit peu à peu les ténèbres l'en-

5. Jean Starobinski, « Les Emblèmes de la raison », Flammarion 1973 p. 55.
6. Expression empruntée à Annie le Brun : « Soudain un bloc d'abîme, Sade », Jean-Jacques Pauvert 1987.

147

serrer et balayer toutes traces de futilité. Le mari si attentionné se transforme à l'occasion en tortionnaire, puis s'érige en justicier pour lequel « *énoncer la source du droit ne suffit plus, il faut en même temps châtier ceux qui lui font obstacle* »[7]. Lors de sa dernière tentative de vente des boucles d'oreilles, le bijoutier constate que le militaire épris de sa propre puissance a définitivement remplacé l'époux respectueux du droit. Voici le bourgeois surpris par le visage de celui qui se révèle à lui, cet « *hôte secret* »[8] venant au jour par le simple effet d'un agir emporté par son propre mouvement. Impossible d'ignorer Napoléon, le Prométhée dévoyé qui règne sur la bibliothèque du Général dont le portrait en pied est accroché en face d'un immense tableau de la bataille de Waterloo : « *Ce qui s'apprête à surgir dans l'Europe du XIXeme siècle, conséquence ultime et trahison définitive de la pensée révolutionnaire, c'est la volonté qui veut la volonté, la volonté de puissance, la volonté sombre qui refuse de faire cause commune avec la raison, tenue superficiellement pour* « *superficielle* »[9]. Si Madame de et Donati évoquent le paysage de la bataille, c'est pour mieux glisser sur lui, feindre de dire une chose tout en masquant une autre. Mais l'image, elle, ne possède pas de sens caché et montre que si les amants ne s'occupent pas de la réalité, ils ne sauraient pour autant échapper à l'histoire. Ophuls sait que la terreur et le totalitarisme ne sont pas des accidents, mais la conséquence logique d'idéologies où l'action se voit parée de toutes les vertus. Il sait aussi que l'hôte secret abrité par la société bourgeoise (qu'il se nomme Napoléon ou Hitler) possède suffisamment de ressources pour prendre les différents masques d'un Meneur de jeu civilisé. Il en décrit donc le surgissement fatal avec une précision infaillible.

Elever la voix un peu plus, s'indigner au nom de l'humanisme, aurait risqué de porter condamnation des mœurs que le cinéaste observe. *Madame de...* expérimente les limites d'une mise en scène consciente que la vie est à la fois action et contemplation, révolte et ironie, « esprit » et « âme ». Classique, un tel art l'est au plus haut degré, lorsque la réalisation de l'équilibre commande le mouvement perpétuel de ses formes. Il arrive pourtant que l'opposition entre une vision du monde et son double atteigne le point de non-retour, au-delà duquel toute variation du discours détruit l'harmonie des contrastes. Si futiles et si vides de sens, les mots sont dans *Madame de...* les témoins parfaits (presque les spectateurs) de l'inéluctable surgissement de l'hôte secret au cœur du vide des valeurs. Un im-

7. Starobinski, « Les Emblèmes de la raison » p. 55.
8. Ellul, op. cit. p. 203.
9. Starobinski, « Les Emblèmes de la raison », p. 57.

perceptible détournement de leur destination (l'anodine réflexion de Donati sur l'état du monde, que le Général considère comme un affront personnel) permet alors à l'esprit du mal de justifier sa décision suprême. Ce degré de précision dans l'infime peut effrayer Max Ophuls, qui voit sa mise en scène dépendre d'un souffle, d'un geste ou d'une inflexion. Il n'est pas dans sa nature de maintenir le style sur une ligne de crête dont les formes ne peuvent s'écarter : la haute synthèse de Goethe l'inspire, mais il ne la fait pas sienne, attachant trop de prix à la « sécession » qui pousse sans cesse l'art à s'éprouver en renaissant. Le mouvement de retrait en soi témoigne d'une révolte face au vide des valeurs, mais aussi d'une certaine ironie qui s'exerce aux dépens de toute l'agitation dont l'individu éprouve la vacuité. A ce jeu, Prométhée et Epiméthée avancent ensemble au lieu de s'opposer vainement. L'énergie déployée par l'un n'éclipse pas la profonde méditation de l'autre, et la fureur de la création peut entraîner la destruction des formes existantes pour laisser apparaître en pleine lumière quelques valeurs essentielles dont la trace semblait définitivement perdue. Refuser de conserver un ordre des choses donné, se défaire pour un temps de l'idéal classique, se replier sur les formes pour mieux les faire imploser, bref entrer en sécession pour naître à nouveau, voilà toute la richesse d'une volonté critique essentiellement moderne qui inspire l'ultime élan d'une carrière brisée : *Lola Montès*.

La mort de Madame de

XI
LA FEMME ET L'HORIZON
Lola Montès

Martine Carol dans *Lola Montès*

A la fin de *Madame de...*, le dernier cri *(« elle meurt ! »)* scelle la disparition d'un être sensible réduit à néant par l'activité d'une brillante société du vide. Cristallisant l'émotion autour de celle qui s'éteint, Ophuls semble clore l'espace tragique en permettant à l'éternel féminin de s'accomplir dans la mort. Illusion pourtant : car le film s'achève sur l'image d'un objet — les boucles d'oreille — enfin immobile. Les apparences, le style, se perpétuent au-delà des entités humaines qui les animent.

Ainsi de *Lola Montès*, qui n'a plus de la femme que l'écorce et la fatigue : les spectateurs attendent que la courtisane la plus scandaleuse d'un dix-neuvième siècle qui n'en compte guère soit le sujet d'une méditation passionnée, mais ils découvrent la réalité d'un objet de spectacle dont Ophuls ne cherche pas à masquer le côté sordide et fabriqué. Du sujet à l'objet, la femme descend de son piédestal et la danseuse adulée par une grande partie de l'Europe voit son image singulièrement dégradée. Impossible d'imaginer en Martine Carol (y compris et surtout lorsque l'actrice esquisse quelques pas de danse) l'être dont quelques puissants se sont épris de la gracieuse mobilité.

Quant à voir dans le chapiteau une nouvelle église dédiée à la beauté, mieux vaut ne pas y songer car ce qu'Ophuls retrouve en accumulant autour du personnage principal les figures d'un spectacle de cirque n'est ni plus ni moins que l'ambiance exaltée de *La Fiancée vendue*, celle des acteurs ambulants et des troupes itinérantes.

153

Dans les studios munichois, vit et palpite tout l'univers concret du théâtre populaire[1] dont la réalité permet au « Mammouth Circus » de présenter l'aspect chaotique, ouvert, qui est aussi celui des coulisses de *Divine* ou du Palais de la danse du *Plaisir*. On sait combien ce désordre apparent est traversé du mouvement de la vie, mais combien aussi il peut céder au vertige du mouvement pour le mouvement, et singer alors jusqu'à l'ivresse mortelle la dynamique d'une société livrée au bonheur de l'action et peu soucieuse du vide que celle-ci recouvre : sans rien masquer de cette ambiguïté, Ophuls délègue une fois encore ses pouvoirs à un meneur de jeu envahissant (l'Ecuyer), chargé d'ordonner le rituel du spectacle autour d'un axe central, le corps de Lola Montès. Mais cette fois, Mephisto est sans cesse dépassé par les événements, et une nuée de diablotins pervers (les nains) se charge à tout moment de lui remettre en mémoire les limites de ses possibilités. Bien plus encore que dans *La Ronde*, l'ironie d'Ophuls s'exerce au dépens de son double au point de donner l'impression que toute la mise en scène ne tient qu'à un fil et peut se dérégler dans la seconde qui suit le plus petit incident. Le parfait ordonnancement des scènes de la vie de Lola joue ainsi contre le bricolage désordonné dont s'honore le « Mammouth Circus ». Mais ces scènes elles-mêmes s'intègrent (grâce à d'admirables fondus dont Ophuls aimait à souligner l'importance) à la perfection au mouvement d'ensemble du film, et leur beauté plastique devient le signe d'une réalité embellie à laquelle le spectateur ne peut plus adhérer, car il connaît trop bien les visées avouées de l'Ecuyer : vendre l'image, le « produit » Lola Montès.

Or ce même spectateur voudrait bien croire au mythe de la femme inaccessible et superbe, maîtresse de tous les rois et muse de tous les artistes. Entre autres rêves obscurantistes, le dix-neuvième siècle lègue au vingtième une conception de l'amour-passion (qui prend en partie son origine dans de vieux mythes celtiques) pour laquelle l'union de l'homme, de la femme et de la nuit est le témoignage d'une communion avec l'éternité des choses[2]. D'un point de vue dix-huitième, ce phantasme qui prend son essor au cœur du romantisme est proprement cauchemardesque. Maîtresse de l'irréel, la femme est statufiée en déesse de beauté et l'éternel féminin devient une force inaccessible dont la valeur rédemptrice est étroitement associée à sa situation au cœur des ténèbres. La puissance de propagation du mythe en dit long sur la faillite de l'humanisme chrétien : car à l'Agapé[3] qui replace l'amour dans un ordre des

1. Voir les souvenirs d'Annenkov, op. cit. p. 98.
2. Voir Rougemont et Eliade, op. cit.
3. Repas que les fidèles de l'église primitive prenaient en commun. On s'interroge encore pour savoir s'il était lié à la célébration de l'Eucharistie. Aussi les hypothèses émises par Rougemont ont-elles été souvent critiquées.

L'Ecuyer (Peter Ustinov) et Lola Montès sur la piste du Mammouth Circus

choses imposant au croyant d'aimer l'autre tel qu'il est, se substitue l'Eros, mouvement sans retour du désir total *« que plus rien ne peut satisfaire, qui repousse même et fuit la tentation de s'accomplir dans notre monde, parce qu'il ne veut embrasser que le Tout »*.[4]

Avec Tristan et Isolde, Wagner propose au mythe la consécration douteuse de la « Gesamtkunstwerk »[5] et l'espace théâtral voit se développer nombre de mises en scène monstrueuses (celles de Max Reinhardt[6] en particulier), qui parent la femme de toutes les vertus nécessaires à la sublimation[7]. L'onde de choc se propage à travers le cinéma, la diva ou la vamp devenant cette inconnue suprême dont l'inconscient collectif ne cherche plus à éprouver l'aspect concret, trop satisfait de voir en ces créatures de lumière l'illusoire prétexte à s'enflammer au quotidien pour mieux s'évader d'une réalité matérielle essentiellement astreignante. L'expérience de la beauté supplée à celle de la simple humanité, et l'amour devient évasion mentale au lieu d'être compréhension de l'autre. L'éternel féminin est identifié à la déesse du beau.

4. Rougemont, op. cit. p. 62.
5. Cf. supra p. 12-13.
6. Max Reinhardt (1873-1943), homme-protée du théâtre germanique, captiva ses contemporains par des mises en scène grandioses dans lesquelles Karl Kraus ne voyait que grandiloquence et superficialité. S'intéressant à tout le répertoire (y compris les pièces dites « d'avant-garde »), il contribua à développer la scénographie, peut-être au détriment des textes eux-mêmes.
7. Voir J.L. Styan, « Max Reinhardt », Cambridge University Press 1982, pp. 86-107.

155

On s'en doute, un tel refus de l'humain ne peut satisfaire Ophuls, qui voit en l'acte d'aimer l'indice d'une adhésion au présent des choses. Si donc le spectateur doit souscrire à une représentation de la femme, autant qu'il s'éprenne d'une image juste et non juste d'une image : les gouttes de sueur qui perlent sur le visage de Lola, avant le saut, trahissent la fatigue de l'être et rendent plus sensible encore la condition physique de l'existence. Mais quoi de plus obscène, au cinéma, que de voir transpirer la femme fatale ? Inattentif aux ratés et aux égarements de la mise en scène désirée par le meneur de jeu, le spectateur qui voulait voir la comtesse de Lansfeld là où achève de se révéler Lola Montès se sent floué, trahi égaré : quoi, toute cette vie sublime pour de misérables perles de fatigue ? Avec le public de loups massé derrière un tulle noir au-delà de la piste du « Mammouth Circus », il hurle que l'on enlève le filet, souhaite que cette existence aussi absurdement soumise à la faiblesse physique, que cette âme incapable d'élévation (malgré l'amour des rois et des musiciens) s'écrase enfin au sol, retourne à la matière dont elle n'aurait jamais dû sortir. Et Lola saute. « *On ne peut surestimer assez haut une femme* », disait Karl Kraus.

Il aurait été trop simple qu'elle finisse sa course à l'image de Christine *(Liebelei)* ou Joséphine *(Le Modèle)*. Un objet ne peut être transfiguré. Prolongeant le saut, un travelling arrière dévoile la foule avide de palper (pour un dollar) le corps de Lola. Ophuls a toujours refusé à ses héroïnes la sublimation espérée par l'Eros et se contente de retourner vers la vie une pulsion sans doute mortelle, mais dont la mort ne veut rien savoir. Ainsi Lola ne saurait-elle échapper à sa condition concrète de produit, l'éthique sonnante et trébuchante dont elle dépend ne lui permettant aucun écart de trajectoire. L'image que vend le meneur de jeu doit satisfaire un besoin précis créé par le jeu sans fin du désir total, le désir pour le désir qui se nourrit des forces actives pour mieux diriger l'être vers les rives du fleuve nocturne où l'attend la femme fatale. Les complicités objectives qui lient l'exaltation de l'Eros à la société bourgeoise ne sacrifient guère à l'irrationnel : l'agir pour l'agir voit matière à satisfaire ses aspirations de domination dans une conception de l'amour où le désir, perpétuellement insatisfait, entraîne l'individu dans un mouvement de dépassement dont la vertu s'éprouve au contact de sa propre excitation. Totalement insignifiant dans le monde concret, le sentiment amoureux appartient à un domaine spirituel où l'artistique occupe la place naguère réservée à la religion[8]. Rien de plus

8. Cf. supra p. 13 et p. 127.

156

Lola Montès et les hommes-portefeuilles

facile que de faire commerce d'une nécessité vitale — l'homme est toujours poussé à aimer — qu'aucun autre système de valeur ne peut satisfaire : en tant que pure production de l'imaginaire et activité de l'esprit, l'amour se vend bien. En tant que potion d'infini, encore mieux, ce dont a parfaitement conscience l'Ecuyer en proposant aux spectateurs de baiser la main de celle qui vient de leur mimer le « grand saut » du corps vers la nuit où il se perd. Emblème de l'Amérique triomphante, symbole du capital pour le capital, le Dieu-Dollar scelle la réconciliation des fidèles et de leur idole grâce au rituel misérable ordonné dans une église dérisoire. Du plafond du chapiteau descendent, mais dans un but combien plus minable, les lustres dont Elie Faure regrettait qu'ils défigurent les cathédrales allemandes[9]. On a la dévotion que l'on mérite.

Ophuls n'ignore pas que proposer à son personnage de pacotille un cadre qui enjolive la médiocrité du spectacle dirigé par l'Ecuyer expose le cinéma à se faire le vecteur d'un évident mensonge. Mais s'il peint Lola comme celle-ci aurait aimé se voir (il n'a pas agi différemment avec Liza ou Madame de), il lui refuse le plaisir, lui accordant seulement le bonheur. Le spectateur qui rêve à la femme fatale est une fois de plus floué : les rapports de la danseuse avec Liszt ou Louis 1er de Bavière ne traduisent rien des transports pas-

9. « et, quand ils ont, à force de conscience, à force de labeur, donné à une halle, à une nef, des proportions monumentales, y suspendre des objets hétéroclites qui en ruinent l'effet d'un seul coup ». « Histoire de l'art », le livre de poche 1976, p. 346.

157

sionnés dont l'inconscient populaire attend l'étalage. Une bonne petite bourgeoise écoutant calmement son amant de roi lire « Hamlet » pendant que de légers friselis révolutionnaires agitent le monde au-delà des vitres (bientôt brisées) du palais, une aimable roturière échangeant avec *un Liszt genre brochet en gelée (...) des propos dignes de* Nous deux *et* Confidences[10], une *chatte qui ronronne* [11] sont fondues en un seul personnage par le génie d'une mise en scène apte à créer l'indispensable unité visuelle sans laquelle se disloquerait la marionnette que l'Ecuyer transforme en axe de la ronde amoureuse. Même en cinémascope et en couleurs, l'image paraît de petites dimensions et le rapport des corps au décor doit plus à l'esthétique de la miniature — celle, inexorablement dégradée de la bande dessinée ou du roman-photo contemporains — qu'à la science du tableau du genre. Jamais les personnages ne semblent pouvoir évoluer comme bon leur semble : les splendeurs du palais de Louis 1er ne permettent aucunement au souverain de jouer autre chose qu'un « *rôle de roi* »[12] (comme le dit Lola), car l'espace qui lui est alloué par Ophuls n'a aucune commune mesure avec les étendues visuelles sur lesquelles règnent les puissants de *L'Impératrice rouge*, *Le Cid* ou *Othello*. Plastiquement, ce roi est à la mesure des dimensions de l'image. La perfection du spectacle offert, le goût exquis avec lequel s'apparient couleurs et attitudes renvoient au vide béant d'une existence sans plaisirs. « *Cette vie espère son théâtre, qui ne sera qu'un cirque* »[13].

A la lecture de plusieurs biographies,[14] Ophuls a acquis l'évidente conviction que cette petite intrigante de bazar était bien à l'échelle de son siècle. Être désignée Comtesse de Lansfeld faute de pouvoir recouvrir le pouvoir et l'intelligence de la Marquise de Pompadour, voilà quel est le triste destin de la courtisane dix-neuvième. Sans doute cette vie est-elle « cirque » au lieu d'être « théâtre », mais de la même manière que les compositions de Liszt sont « virtuosité » au lieu d'être « musique » et celles de Wagner « messes » au lieu d'être « opéras », c'est-à-dire qu'elle s'impose un travestissement qui permet aux forces de la création de se donner en spectacle au mépris de toute signification profonde. Tous ces artistes de leur propre destinée ne font que vendre à une société toujours plus préoccupée de masquer son vide des valeurs l'image exacte qu'elle réclame d'elle-même et grâce à laquelle elle se perpétue : celle d'individus constamment en action et qui découvrent dans le mouvement même de leurs agissements le sens de l'existence. La logi-

10 et 11. Georges Sadoul *(le Monde,* janvier 1956) et Max Favalelli *(Paris-Presse,* 25-26 décembre 1955), cités par Claude Beylie, *Lola Montès,* présentation et découpage, *l'Avant-scène du cinéma,* n° 88, janvier 1969 pp. 105-106.
12. Truffaut avait été particulièrement frappé par le désir d'Ophuls de retenir au montage les prises accidentées, comme celle où Anton Walbrook se reprend après une défaillance. Ainsi se renforcent les potentialités de la représentation. Voir *Cahiers du cinéma* n° 55, janvier 1956, p. 28-30.
13. Masson, op. cit., p. 40.
14. Celle, de Cecil Saint-Laurent, censée servir de base au scénario du film, mais aussi sans doute celles d'Augustin-Thierry (Grasset 1936) et Certigny (Gallimard 1959), bien plus critiques et distanciées...

Martine Carol (Lola Montès) et Anton Walbrook (Louis 1ᵉʳ de Bavière)

que qui impose à ce dernier de se confondre avec les forces les plus barbares et les plus irrationnelles cohabitant avec la raison de l'homme n'est certes pas l'effet de quelque terrible destinée à laquelle l'espèce est promise ; elle ne reflète que le choix conscient d'une société qui a détourné le travail de la communauté au profit de quelques uns. Les gestes les plus significatifs de l'action individuelle (ceux qui fondent les groupes primitifs) détachés de leur sens pour être asservis à la production de richesses impalpables et invisibles (ainsi l'argent dont usent les spéculateurs), comment voudrait-on que l'accomplissement du travail se dissocie de la finalité mortelle de toute activité humaine ? Ainsi nos sociétés « modernes » admettent-elles que la retraite, cette mort du travail, devienne le but ultime d'une vie de labeur, et nombre de beaux esprits feignent de s'étonner que cet espace destiné au bonheur se dérobe brutalement pour sombrer dans le vide qu'il recouvre.

Ophuls aurait-il été fatigué de faire des films que Lola Montès eût bien mérité sa retraite : mais comme elle choisit une fois encore de sauter volontairement (« *par-dessus l'océan* », dit l'Ecuyer, clin d'œil du metteur en scène à son propre passé), tout porte à croire que le cinéma aussi doit perpétuer la trace de l'étincelle vitale. Perdus dans l'espace du chapiteau, les mots de l'Ecuyer n'ont ni plus ni moins d'existence propre que les morceaux d'arabesques ou les débris de lignes droites qui, sous forme de cordes ou d'échelles, flottent librement sous le toit de toile. Travellings et panoramiques ne reflètent qu'un espace destructuré, un chaos d'êtres et de sensations dont l'unité est garantie par la fragile circonférence d'une vie à l'intérieur de laquelle tout est contenu. Si émouvante, si lucide, la « sécession » ophulsienne donne à contempler tous les éléments d'une esthétique sans rien d'autre pour les organiser que l'énergie du regard porté sur eux : le cinéma se replie sur lui-même, cherchant à travers le chaos des tréteaux populaires la force de renaître.

Peut-être les fils et les filles des acteurs ambulants de *La Fiancée vendue* se retrouvent-ils projetés dans le mouvement qui anime cet univers d'où surgit Vénus sur son char... Car la nature profonde de l'assemblage est celle d'une parole en miettes qui tente pourtant de survivre coûte que coûte, celle d'un cœur acharné à battre au-delà des cintres minables et des cordages usés, celle qui préfère à la représentation de la vie le mouvement même de la vie. A vrai dire, la morale qui l'anime s'inquiète peu de transmettre un enseignement humaniste, toute préoccupée qu'elle est de sa propre existence physique (Lola est au bord de l'infarctus). De là sans doute l'urgence haletante qui la commande et le perpétuel frémissement désordonné qui témoigne de la respiration d'un art, du battement organique d'un cœur de cinéma, de la transpiration d'un corps de cinéma, de toute la douloureuse conscience du cinéma lorsqu'il dévoile la précarité de sa constitution. Rien d'autre en effet ne permet à cet art du siècle de survivre aux crises qui le secouent périodiquement que l'obligation de surenchérir dans le spectaculaire à l'aide de la technique, obligeant ainsi tous les metteurs en scène à s'adapter à un nouvel outil. A l'évidence, le cinéaste est un « sécessionniste » obligé.

Et prenant pour objet de sa méditation la fonction spectaculaire de la mise en scène, il livre les personnages aux nécessités de l'action théâtrale : ressurgit la tentation de Mephisto qui risque de donner le beau rôle au Meneur de jeu. Ophuls, pourtant, ne s'inquiète guère de l'Ecuyer qui offre aux désirs de la foule le discours sur l'objet, l'objet lui-même et l'image de l'objet. Sous l'emprise de ce dernier, les mots et les choses sont ventilés sous le chapiteau, dispersés autour de la piste. Jamais le mouvement particulier et insignifiant qui les anime ne leur permet d'acquérir une valeur concrète. Loin de la circonférence qui en limite la portée comme du volume qui leur permet de se déployer, les images ne valent rien : telle est la leçon ultime de *Lola Montès*. Elles sont juste des images, vite prises, vite consommées, vite oubliées, remplacées par d'autres selon un processus d'accumulation qui ne trahit aucune logique élaborée, sinon celle qui veut l'image pour l'image. Ironie suprême de l'artiste révolté contre l'univers des images animées qu'il sent poindre autour de lui et qui renvoie couleur et cinémascope à la fonction primitive de fournir quelques superbes vignettes chargées de démentir le propos d'un vulgaire bonimenteur ! Ainsi l'œuvre s'inscrit dans le réel du signe et du sens. Suprêmement maîtrisé, le chaos du « Mammouth Circus » singe le vide pour mieux signifier la vie.

Mais que peut bien regarder Lola Montès, au moment du saut ? Par-delà l'écran, l'existence qui n'est pas la sienne ? Ou simplement dans le hors-champ des ténèbres espère-t-elle distinguer l'horizon, arabesque de la terre ?

Peter Ustinov (l'Ecuyer) dans *Lola Montès*

EPILOGUE
FAUT-IL TUER WAGNER ?

Sans doute Ophuls aurait-il aimé se voir épargné le luxe de l'éclairage contrasté qui accueillit *Lola Montès* après la première au Marignan, le 22 décembre 1955. Une grande partie de la « critique » hurla sa déception à peu près sur le même ton que les spectateurs du Mammouth Circus avaient exigé que l'on otât le filet de sécurité. Mais pour les jeunes passionnés des *Cahiers du cinéma* ou d'*Arts*, le film devenait un emblème de la création. Rien de plus naturel, pourrait-on dire : la « sécession » ophulsienne avait séduit ceux qui opposaient les forces vives de la tradition (Renoir) aux formes exsangues (mais de « qualité française ») qui signaient l'agonie d'un certain cinéma des bons sentiments et du cœur généreux, celui qu'aimaient les instituteurs de la quatrième république. Symbole de renaissance contre la restauration de vieux modèles dépourvus de toute nécessité interne, voilà ce qu'était *Lola Montès*.

La profession, le monde du cinéma, ne s'y trompa guère : dans une lettre ouverte au *Figaro*, Jean Cocteau, Roberto Rossellini, Jacques Becker, Christian Jaque, Jacques Tati, Pierre Kast et Alexandre Astruc prenaient la défense de ce « *film très important et qui arrive au moment où le cinéma a le plus urgent besoin de changer d'air* »[1] Exemple unique de la solidarité des gens de l'écran face à la redoutable bêtise des échotiers mondains et des distributeurs de films ? Eternel combat des « clercs » (Julien Benda) attachés à la sauvegarde des richesses de l'esprit contre les praticiens chargés de sacrifier l'intelligence aux nécessités matérielles (ici purement commerciales) ? Même si ce manichéisme peut paraître simplet, force est de constater que la ligne de fracture passe sans ambiguïté entre deux univers étrangers l'un à l'autre. Renaissance contre restauration, pouvoir de l'art contre pouvoir de l'argent, hommes libres contre valets, chacun décodera à son gré l'histoire d'une bataille qui déborde largement les petits cénacles parisiens où elle eut lieu.

Trente ans après, qu'en reste-t-il ? A une époque où, pour la première fois en France, le petit écran présente les films de cinéma coupés par des courts métrages de publicité, l'interrogation peut paraître dérisoire. A Godard, Truffaut, Rivette et bien d'au-

1. cf. infra p. 191.

163

tres, Ophuls avait donné l'exemple d'une vitalité sans cesse renouvelée et mise au service de cet unique but d'une vie dédiée au cinéma : tourner. Mais tourner pour produire des objets de sens, des objets d'art, et non pas tourner pour tourner, faire de l'image pour faire de l'image, comme il est de règle aujourd'hui à la télévision. « *Il faut tuer la publicité* » disait-il[2]. Aujourd'hui, faut-il « tuer » les media ? Depuis une dizaine d'années, l'accélération de la course aux images (comme l'on dirait : course aux armements, il n'est que de voir l'agressivité des journalistes ou des équipes de tournage pour comprendre !) s'est amplifiée. D'un bout à l'autre de la planète sont véhiculés les mêmes clichés, les mêmes idées simples, une même idéologie du bonheur et une même croyance dans l'action. Les bourses peuvent bien rouler vers l'abîme, le fossé entre les riches et les pauvres s'accroître, des sociétés duales (avec citoyens de première et de seconde zone) s'installer un peu partout, les élites au pouvoir tenir un discours de plus en plus dissocié des réalités du commun, l'information-spectacle continue de perpétuer comme si de rien n'était l'image d'un monde repu de technologie triomphante, voué au mouvement pour le mouvement et à l'action pour l'action. A ces nouveaux meneurs de jeu que sont les journalistes ou présentateurs, il faut des centaines ou des milliers de postulants pour la grande ronde des images. Le libéralisme économique fournit son lot de « gagneurs », chefs d'entreprise ou sportifs, dont la seule éthique semble être de déserter le champ de l'esprit pour mieux faire valoir leurs capacités de guerriers. Un seul langage domine tout cet univers d'une repoussante pauvreté intellectuelle : celui du combat, de la stratégie, de l'égoïsme meurtrier. Et puis, comme pour racheter les habitants de cette planète mal civilisée, quelques bonimenteurs proposent le bon cœur à la pelle suivant la même logique qui incitait l'Ecuyer de Lola Montès à préciser que « *dans un esprit de repentir et de mortification, la comtesse abandonne les produits de cet exercice unique aux œuvres de relèvement des filles perdues* ». Pour l'homme « moderne » et « actif », la paysanne éthiopienne est un bon placement moral. C'est d'ailleurs la seule valeur dont il admette la non-cotation en bourse.

« *Ce qu'ils cherchent dans le mouvement, ce n'est pas seulement de goûter l'épandement d'âme que verse l'idée de mouvement, c'est de fuir la fermeté d'âme qu'impose l'idée d'arrêt* » écrivait Julien Benda à propos des « *mondains* » entichés de cette « philosophie totale » du sentir que se voulait être la bergsonisme[3]. « *Le réel sentiment à noter en cette occasion*, ajoutait-il, *c'est une véritable révolte chez nos modernes à l'idée que l'analyse va porter sa main sacrilège sur leur âme, une véritable exaspération à l'idée qu'on parlera de leurs joies et de leurs misères comme des lignes et des surfaces* ».[4] Si encline à définir un style de la volonté où n'entre pas une once d'intelligence, si satisfaite d'elle-même à l'idée de « *se toucher en d'exquises régions* » où elle peut se sentir rêveuse, accordée à l'ordre sentimental et irrationnel du monde, si fondamentalement « géné-

2. cf. infra pp. 184-185.
3. Une Philosophie pathétique, *Cahiers de la quinzaine*, 1913, p. 55.
4. Id. p. 70.

reuse », notre société s'interroge devant l'artiste qui refuse de sacrifier au spectacle total des émotions. Les grandes célébrations médiatiques des valeurs du pathétique ou de l'héroïsme ont de quoi faire frémir ceux qui se souviennent que l'essence même du discours national-socialiste réside dans l'exaltation émouvante et sensationnelle des capacités de l'individu à servir la masse[5]. Arabesques, lignes ou surfaces, les passions ophulsiennes sont à l'échelle d'un univers peuplé d'hommes à la recherche de leur identité et qui ne désirent nullement considérer la marche du monde sous un angle uniquement passionnel. Leurs mouvements les entraînent fatalement à un arrêt, et comme le destinataire de la *Lettre*, ils se retrouvent en face d'un miroir qui leur impose de se connaître bien plus que de se sentir. Les perspectives offertes par le plaisir sont corrigées par une volonté de relativiser l'amour : le cinéma découvre que l'acte d'aimer n'est pas une vertu suffisante pour accéder à la liberté de l'être. Bientôt, Godard montrera qu'à la mesure de la vie, cet acte n'a ni plus ni moins d'importance que le boire ou le manger. L'instant ne choisit pas sa qualité et l'être ne choisit pas son instant : la ligne de hanches se brise contre la ligne de chance.

Face aux vrais scandales d'une société littéralement amorale, face au vide révélé par le semblant d'éthique dont elle se pare, face à un système d'images tourné vers le clinquant, le généreux et le superficiel, la formidable énergie ophulsienne qui permit aux nitrates de se transformer en films réconforte et permet de garder quelqu'espoir sur le devenir des images. « *Transporté par pigeon voyageur, un seul vers de Verlaine eût plus fait pour le rayonnement d'une culture que tous les programmes stéréotypés diffusés par de puissantes chaînes et relayés par satellite* »[6]. Faute de s'en souvenir, l'humanité voit s'appauvrir de jour en jour son patrimoine intellectuel par la faute de quelques marchands d'âmes fascinés par leur image en mouvement sur les écrans du vide. Mais créant l'événement et ne commentant que ce qu'ils créent, il ne peuvent espérer abuser ceux qui s'opposent avec calme à l'obscène déferlement qu'ils organisent. Les films d'Ophuls sont autant d'entités douées d'une vie de l'esprit permettant à chacun de se dresser contre le vide agressif qui l'enserre. Comme toutes les œuvres d'art significatives, ils ne sont pas la vérité, mais renvoient une idée de la vérité. Notre seul souhait sera d'avoir lâché autour d'eux suffisamment de « pigeons voyageurs » pour qu'un peu de leur richesse puisse être transmise par l'écriture, plume et plaisir.

Paris, Août 87 - Janvier 88.

5. Voir Carl E. Schorske, « Un nouveau ton en politique : un trio autrichien » dans « Vienne fin de siècle », Seuil 1983 pp. 123-175.
6. Claude Julien, « Les inévitables déconvenues d'une éthique sonnante et trébuchante », *le Monde diplomatique* n° 404, novembre 1987 p. 10.

TEXTES ET PROPOS

Tournage du *Plaisir* (à l'extrême gauche, Simone Simon)

MON EXPÉRIENCE

Lettre au rédacteur en chef[1] :... et croyez moi, j'ai fait l'expérience que je ne suis pas un essayiste ou littérateur professionnel. Si vous tenez absolument à avoir un article sur *mon expérience*, pour votre numéro de Pâques, je vous prie de vous contenter de ces notes qui n'ont pas la prétention de former un ensemble cohérent.

Des pensées sans forme définie, notes pêle-mêle, réflexions à bâtons rompus, pour les gens de mon espèce signifient détente. Le cerveau part en vacances, fait une cure et aime à ramasser, au lieu d'un fil rouge, une multitude de fils colorés. Ça fait du bien, car, dans un film, c'est tout le contraire : on doit construire, calculer, on a besoin d'une vue générale, puisque le film est un produit industriel, et, depuis que je suis dans cette industrie jusqu'au cou, j'ai fait l'expérience... mais c'est ce que je vais vous raconter maintenant.

« *Eh bien ! tu finiras par l'avoir ton expérience !* » (parole prophétique de l'année 1922). Mon oncle a eu raison. Tous les oncles ont raison quand ils donnent prudemment aux jeunes gens des conseils aussi pessimistes, au début de leur carrière. Expérience — c'est ce qu'on apprend seulement plus tard — veut dire perdre au fur et à mesure l'ignorance de l'enfance et ses rêves. On échange l'illusion contre la réalité, on passe des choses devinées, désirées, insaisissables au monde des limitations. Un homme d'expérience est un enfant détruit. Nous aimons à mettre notre destin entre les mains des politiciens, des pilotes ou des dentistes.

A Darmstadt, j'ai rencontré une fois un directeur de théâtre en faillite. C'était l'hiver, pendant l'occupation, après la guerre de 1914. Venu d'Aix-la-Chapelle, j'avais dû, pour lui rendre visite, traverser à pied le pont de Mayence sous une tempête de neige. Ma petite valise était remplie de brochures de publicité et d'espoir. Il était chez lui, couché sur un canapé, et il avait le teint tout gris sous la lumière du jour. Il portait sur sa tête un sac de glace, et sur son cœur exténué des mouchoirs mouillés. Une répétition générale sous sa direction (je crois qu'il s'agissait d'*Egmont*) avait été un fiasco complet à cause des défections, des grèves, de la crise du théâtre, du chahut et du report de la

---

(1) Cet article a été publié par la *Deutsche Zeitung*, le 31 mars 1956.

première : « *Tout ça, ce ne sont pas des hommes*, gémissait-il, *excusez-moi si je ne peux vous écouter aujourd'hui... Même les musiciens de l'orchestre, même les chefs décorateurs, ne parlons pas des acteurs, tout ça, ce sont de grands enfants..* »

Trente-cinq ans après, exactement avant-hier, j'ai rendu visite à un studio parisien. Un collègue-metteur en scène avait l'air tout résigné : « *J'en ai plein le nez. Tout ça, ce sont des gosses et rien de plus.* » Mais moi, j'aime les enfants. Je n'aime pas les petits enfants, mais alors pas du tout, mais les grands. Malheureusement, autour de moi dans mon métier, il paraît que le temps des adultes a commencé, le temps des enfants détruits. L'oncle était devant le parc de l'enfant, lorsque le cinéma, il y a à peine quarante ans, esquissait ses premiers pas et prophétisait : « *Tu finiras par l'avoir ton expérience !* » A-t-il eu raison ? Et s'il est bien vrai que nous sommes entrés dans l'ère du cinéma *qui a de l'expérience,* il ne nous reste qu'à souhaiter que cette stabilité soit de courte durée.

« *On cherche ingénieur qualifié, plein de méfiance envers l'expérience.* » Si j'étais dans le Fer-Charbon-Acier, à la suite d'une annonce pareille, j'irais me présenter tout de suite. Mais on ne cherche pas les metteurs en scène de cette façon. C'est pourquoi, ces dernières années, j'ai mis avant chaque film cette petite annonce dans mon journal imaginaire, et puis je me suis présenté moi-même.

Pour illustrer ce que je veux dire, la circulation dans Paris est le meilleur exemple. Il y a des règles. Beaucoup de gens connaissent les règles. Beaucoup les connaissent à peine. Quelques-uns y font attention, quelques-uns très peu. Les réglements savent qu'on fait beaucoup, et aussi très peu, cas d'eux. C'est pour cela qu'ils changent continuellement. Résultat : tout le monde sait conduire. La circulation à Paris est une œuvre d'art. Les préfets sont de merveilleux metteurs en scène. Quand ils ont fait leurs preuves, ils doivent s'en aller. Même au Maroc. La circulation à Paris devrait être étudiée par tous les aspirants metteurs en scène. Pas d'après les manuels ou les graphiques, mais nonchalamment, en y regardant à peine, de la terrasse d'un café. C'est, en tout cas, la raison que mes amis avançaient pour justifier les longues heures qu'ils passent aux terrasses de café.

Si l'on donnait aux préfets — ou à leurs adjoints, ou aux agents de la place de la Concorde — la haute main sur les problèmes de production ou de distribution, il en résulterait un gigantesque mic-mac. Le film ne leur obéirait pas. Le film exige un ordre rigoureux. Il veut aujourd'hui être sûr de son affaire, et c'est là son drame. Autrefois, quand il manquait d'assurance, constituait encore un danger, il n'était pas encore menacé. Aujourd'hui, il essaye d'être un divertissement qui a fait ses preuves, qui s'est construit des conventions sur lesquelles il peut se reposer, regardant désespérément du côté des recettes éprouvées, au lieu de partir à la recherche du merveilleux et du mystère. Peut-être est-ce la faute des financiers, qui maintenant sont des gens du monde. Les grandes banques et le ministère des finances ont pris la place des joueurs et ils ont la responsabilité des épargnes qu'on leur a confiées. Il faut les comprendre.

170

Il y a un homme, dans l'histoire du cinéma, que j'aime beaucoup sans avoir jamais fait sa connaissance, et pour lequel j'aurais aimé travailler. C'est le commerçant qui a fondé cette profession, et qui était presque un artiste. Cet homme, ce sont les Lasky, les Samuel, les Meyer, les Loew. Aujourd'hui ils ont pratiquement disparu. Un tel homme a dû être un bouillant lanceur de lasso de l'aventure cinématographique. Je le vois devant moi avec un large chapeau de cow-boy, des bottes de cheval, une cartouchière et un revolver. Mais cet uniforme, il le porte seulement pour moi, car, spectateur expérimenté, je ne peux pas imaginer un pionnier autrement. En réalité, il portait peut-être un monocle et un « cutaway ». Ce commerçant magique et sans expérience voyait de petites bandes de celluloïd, sur lesquelles de petites choses virevoltaient pendant deux minutes — un cycliste acrobate ou un singe — et le commerçant cow-boy croyait qu'on pourrait mettre sur ce celluloïd de longues histoires, avec un début, un milieu, une fin, et une action dramatique.

Et puis ces cow-boys sont partis en caravane, ou à cheval, ou peut-être en rapide, vers la Californie, pour le désert. Là, il n'y avait rien — que du soleil. Et ça c'est beaucoup. Là, ils ont construit sur du sable des studios, des laboratoires et des maisons de production. L'argent ramassé, ils ne l'ont pas « investi », ils l'ont risqué. Ils étaient les premiers aventuriers de l'imagination. Ce qu'ils photographiaient, c'étaient les premiers rêves, les premiers baisers, les premiers feux et les premières eaux, la première guerre et la première paix, la première naissance et la première mort. Ce qu'ils tournaient c'était le premier tournage.

Aujourd'hui, l'aventure est devenue une branche commerciale sur laquelle sont installés les successeurs de ces pionniers : les présidents, les employés, les conseillers. Pour qu'on ne leur scie pas la branche, ils ne lâchent leur argent que pour une affaire sûre. Je crains que ce ne soit la maladie dont souffre tout l'arbre industriel. Car quand nous faisons les films, nous construisons des châteaux dans les nuages. Mais il n'y a pas de châteaux dans les nuages qui soient solides. Quand on veut les consolider il faut les descendre des nuages.

Extrait d'un discours (à tenir devant les étudiants d'une quelconque université aux environs de 1969) : « … Avec cela, je ne voudrais pas, pour l'amour de Dieu, vénérer le chaos, donner le mot aux iconoclastes qui n'avaient même pas le temps d'apprendre à peindre, à force de détruire. Les avant-gardistes patentés vieillissent vite, parce qu'ils veulent toujours rester jeunes. Le maquillage étalé sur leur visage intérieur n'efface pas le pli des années. Il y a un savoir qui, à mon avis, échappe aux explications, un savoir miraculeux. Je ne sais pas pourquoi, mais il m'a toujours obligé à m'arrêter, à marquer une pause classique et rafraîchissante. A sa rencontre, le cœur se met à battre. On ne doit pas le copier, mais plus humblement essayer de le suivre sur son chemin. Honorer les chefs-d'œuvre est une expérience que nous devons conserver vivante. Le nombre d'or de ce savoir devrait être transmis à travers les âges avec infiniment de précautions, des mains du maître au cœur du disciple. Car, qui n'a pas été effleuré par le souffle

171

bienfaisant de ce qui a été fait avant lui, ne rencontrera jamais les bénédictions de la tradition. Nous regardons pleins de respect et d'admiration, les films de Murnau, Lubitsch, Griffith, Eisenstein et Poudovkine. Nous les ressentons comme les derniers échos d'une musique divine, ils nous empêchent de nous prendre trop au sérieux dans le concert des temps, et nous… » Remarque d'une étudiante à sa voisine : « *Ah ce qu'il est solennel ! Il commence à se faire vieux, le professeur !* »

Extrait d'un discours que j'ai tenu le 15 janvier 1956 à Hambourg : « …et puis, Mesdames et Messieurs, votre président m'a fait savoir qu'il aimerait avoir un discours intitulé : *Expérience d'un créateur de films.* Je n'ai pas refusé ce titre, je l'ai changé tout simplement en *Expérience.* Car je ne crois pas qu'il y ait un créateur dans un film : je pense, et c'est presque un axiome pour moi, qu'il y a autant de créateurs dans un film que de gens qui y travaillent. Ma tâche de metteur en scène consiste à faire du chœur de ces gens un créateur de films. Un film ne peut pas vivre avec l'aide d'un seul homme. Je peux seulement — et avec moi tous mes collègues peuvent seulement — éveiller en chacun la force créatrice, que ce soit dans un électricien ou un acteur, un musicien, un monteur ou un décorateur (je n'ai pas le temps de vous énumérer tout ce petit monde que j'aime). Il faut découvrir en eux le créateur, veiller à ce qu'ils commencent à vivre — et puis nous avons un bon film. Mais comment arriver, Mesdames et Messieurs, à ce que mon costumier me dessine de plus jolis costumes que je n'aurais pu imaginer moi-même ? Comment se fait-il que mon cameraman m'enrichit quand je parle avec lui, et qu'il voit toujours un peu plus clair et plus loin que je ne voyais moi-même ? Comment parvient-on — on abuse souvent du mot, mais ici il a tout son sens — à cette « liberté » ? Par le fait de ne pas s'accrocher à l'expérience. Car je crains que, lorsqu'on s'accroche à l'expérience, la routine ne vous attende au prochain tournant. La porte doit rester ouverte. Bien qu'on aime en général les portes fermées — au studio ou à la maison, où surviennent toujours l'empoyé du gaz ou un cousin. Mais la porte, dans une profession, doit toujours rester grande ouverte pour l'inconnu, pour le non-expérimenté. Quand nous avons *open house*, les invités ne manquent pas d'arriver. »

Dans l'histoire du cinéma, autant que je m'y connaisse, il se passe une chose très particulière. Le métier avance seulement quand il y a un vide, quand ce n'est plus l'expérience qui peut aider. Ces « trous » étaient les clés de voûte de l'évolution. C'est à leur époque, la grande, que Chaplin est né, tout à fait au début. Quand, après la guerre, Roberto Rossellini tourna en Italie *Rome, ville ouverte*, la même chose se produisit, sans précédent aucun. Jusque-là il n'y avait pas d'exemple qu'on prenne sous le bras une caméra avec du matériel abîmé et sans projecteurs, pour la placer sous des portes cochères, pour tirer un drame de la vie quotidienne et en faire un poème — sans permission, presque à la dérobée. Un moment merveilleux plein de magie et de surprise. Le manque d'expérience est un facteur important dans la santé de notre métier : car il est tout simplement effrayant de penser qu'un moyen d'expression dramatique, qui date seulement d'il y a quarante ans, ait déjà la témérité de prétendre établir ses lois.

172

Si l'on vient, comme moi, du théâtre qui a plus de mille ans, on trouve que l'orgueil que le cinéaste tire de son expérience professionnelle est un peu précoce. Les techniciens, surtout, essayent de forger un système avec leurs nouvelles découvertes techniques. Gare aux techniciens ! Ils peuvent être nos amis, quand ils se plient au sujet, mais ils peuvent être des bourreaux, quand ils mettent la technique au-dessus. Ce sont des gens gentils, mais ils ne se doutent même pas combien ils peuvent être dangereux, quand ils nous accueillent les bras ouverts, en nous déclarant : « *Ceci ou cela doit être comme ça, et vous ne pouvez pas faire ceci ou cela, car, par exemple, au tirage, la copie va perdre en netteté...* ». Et puis ils se disent mille choses à l'oreille qui sont pour nous comme un cryptogramme du moyen âge. Je ne sais plus où est ma tête et j'ai peine à les suivre. Je n'y comprends plus rien. Il y a une seule chose qui subsiste dans ma pensée : en ce moment, ils sont en train de malmener l'âme de notre profession.

C'est très grave, car les conséquences vont loin. Ils commencent déjà presque à contaminer l'acteur. Aujourd'hui déjà, nous voyons dans le monde entier des acteurs techniquement rôdés, avant même d'être acteurs.

A Berlin, il y avait dans les années 1930 une grande dame qui m'a appris beaucoup de choses. C'était une dame âgée, et elle s'appelait Rosa Valetti. Je la voyais pour la première fois au studio. Elle devait répéter une scène, et on était en train d'enfoncer des clous. Elle se leva et dit : « *Là où je joue, on n'enfonce pas de clous.* » Et elle rentra chez elle. Aujourd'hui tous les acteurs sont prêts à supporter le vacarme sans sourciller. Il n'y a vraiment plus de respect pour la création, au sens propre du mot. Ils se laissent intimider par la technique, ils sortent déjà des entrailles de la technique. Ils n'ont même plus le courage de l'éviter. Et la technique devient insolente.

Il y a quelques semaines, je suis allé dans un laboratoire. Là, on m'avait rendu très nets, à l'aide de préparations chimiques, des passages sonores de mon film que j'avais voulus très confus. Je ne voulais pas me laisser faire. Le monsieur qui avait dirigé l'opération me déclara : « *Le principe de nos laboratoires est celui-ci : les gens doivent toujours comprendre ce qu'on dit.* » J'essayai de lui expliquer de quoi il s'agissait. Il me coupa la parole : « *Vous devez considérer, Monsieur Ophuls, que vous travaillez dans une industrie du divertissement.* » Je lui ai répondu : « *C'est vrai. C'est pour cela aussi que j'essaye de faire ce qui me fait plaisir.* »

Cahiers du cinéma, n° 81, mars 1958.

HOLLYWOOD, PETITE ILE...

Je crois aux auteurs et non à la nationalité des films. Il n'y a pas plus de films américains que de films français. Il y a des films de Fritz Lang et ceux de René Clair. Par
ailleurs il me paraît plus intéressant de parler de la communauté des choses que de
leurs différences d'autant que le cinéma est un métier surprenant par la faculté qu'il a
d'égaliser les conditions humaines.

Il s'agit même, selon moi, d'une égalité de regard ; les hommes de caméra ont le
même regard à Rome qu'à Hollywood ou à Paris, la même manière d'être dans la vie.
Tous les tireurs ont le même expression et les gens de cinéma sont des tireurs d'images.
On retrouve la même expression chez un régisseur quelle que soit sa nationalité : il
court toute la journée, jette en passant un regard sur un cendrier : *est-ce que je le
prends pour mon décor ou bien je le laisse ?* » Mais il ne peut plus regarder un cendrier
comme un cendrier.

Cependant, si vous êtes cinéaste à Hollywood, vous sentez autour de vos collègues un
certain confort, une certaine sécurité sociale qui leur permettent d'être moins essoufflés
et nerveux que les gens de cinéma européens. En France, on sent très bien qu'un homme pendant les derniers jours de tournage d'un film pense déjà : « *Est-ce que je ferai un
autre film tout de suite ?* » A Hollywood, il est sous contrat pour l'année ; il a un peu
plus de ventre, partout, mais il est plus détendu : c'est très important. Il y a encore autre chose : la technique extérieure, non la technique de mise en scène mais celle de mécanique, leur est absolument familière ; tout gosses déjà, ils sont dans les rues, ils s'ar-
rêtent devant une voiture en panne et, à douze ans, ils sont capables de la réparer ; ils
sont très en amitié avec les tournevis, les marteaux et les fils de fer. C'est leur monde à
eux et cela s'exprime naturellement dans leur conversation sur le plateau qui est tout
autre chose qu'en Europe ; on ne devrait jamais généraliser mais je puis dire que, le
matin, il y a dix minutes de silence pour la lecture des *comics* ; puis lentement, les têtes
sortent des *comics*, on regarde autour de soi et le film commence.

J'ai toujours trouvé une grande loyauté dans les relations des équipes entre elles ; j'ai
aussi découvert quelquefois dans les studios un maquis des ambitions et des qualités
parce qu'on vit très souvent en contradiction avec le commerce. On passe des soirées,

174

on se rencontre chez des amis ; il y a là un acteur qui vous dit : « *Je joue tel rôle, voici comment j'aurais aimé le jouer, mais en vérité je ne puis le jouer ainsi* » ; il y a un metteur en scène qui dit : « *Je tourne un film, je voudrais le mettre en scène comme ça mais c'est impossible* » ; il y a l'auteur, toujours le plus malheureux, qui veut rentrer « *demain* » à New York ; depuis quinze ans il parle de renter à New York écrire une pièce mais il reste quand même et nous raconte comment il voulait faire le scénario. Et cependant, je trouve fascinant de voir une telle assemblée de talents dans une seule ville parce que vous trouvez là-bas ce qu'on appelle un *crafts-manchip* (mot qui a remplacé très souvent le mot talent), vous rencontrez les meilleurs décorateurs, les meilleurs musiciens des cinq continents : c'est l'argent qui les a appelés là-bas et qui les y retient.

On a beaucoup parlé du manque de liberté des cinéastes à Hollywood. C'est là un problème strictement individuel. L'évolution du film américain depuis deux ans prouve que des gens qui se décident à travailler avec les indépendants et à rester indépendants trouvent le moyen de faire des films très personnels, qu'il s'agisse d'acteurs comme Marlon Brando ou de metteurs en scène comme Mankiewicz. Par contre, on peut opter pour la marchandise journalière dans laquelle il y a des débouchés énormes ; un jour j'ai été reçu par un « B pictures-producer » qui ne me connaissait pas et qui, avec une belle franchise, m'a dit : « *Je ne sais pas si vous ferez l'affaire ; nous cherchons un metteur en scène qui ne pense pas et qui n'ait pas de convictions personnelles ; il doit faire ce que nous voulons en temps voulu ; nous ne lui donnerons le script que huit jours avant le tournage car introduire une certaine personnalité dans ce genre de films les condamnerait à l'échec.* »

C'est ainsi qu'il existe, en Amérique, des films qui n'ont pas même droit à une soirée de première. Ils ont chez *Columbia* une série de films sur *L'Homme au masque de fer* ; on ne sait qui le joue puisque l'on met un masque de fer sur la tête de quelqu'un ; il y a par an je ne sais combien de films de cette série ; or il y a des gens pour les tourner et ces gens-là savent qu'ils ne tourneront jamais autre chose, ils le veulent bien. Je trouve cette différence très correcte, à condition qu'elle apparaisse avec netteté.

Je voudrais parler d'un personnage qui nous manque en Europe : le *producer* ; ce n'est pas le producteur français, mais l'homme chargé par le studio du contrôle de la fabrication du film moins sur le plan financier que sur le plan de l'organisation. Un bon *producer* ne contrôle même pas mais sauvegarde l'esprit du film en amitié avec le metteur en scène, l'auteur du film. Ce personnage, lorsqu'il est compétent, peut faire beaucoup de bien au film.

C'est à Goldwyn, par exemple, que l'on doit les meilleurs William Wyler, les meilleurs Bette Davis ; c'est à John Houseman que je dois *Lettre d'une inconnue*, le même Houseman qui a permis à Mankiewicz de faire *Jules César*. Il y a aussi — dans un certain sens — Selznick. Ce sont, à mon avis, sinon des créateurs, du moins des gens *créatifs*. Ils n'ont pas le don direct, ce ne sont pas des auteurs mais ils ont le don de guider l'exécution. Nul n'a autant besoin d'être soutenu et même conseillé que le metteur en scène : c'est pourquoi il faudrait introduire en Europe ce personnage qui équivaut, au fond, au rédacteur en chef.

Le personnage le plus malheureux de Hollywood est le scénariste, selon lui toujours trahi que le film soit bon ou mauvais. Exceptons quelques grands hommes comme Ben Hecht qui ont des contrats très spéciaux par lesquels ils sont les véritables auteurs de leurs films jusqu'à la fin du découpage.

Mais en général, le contrat qui lie un écrivain à un studio fait de lui un homme vraiment malheureux. Il reste quatre semaines avec tel ou tel film, puis un coup de téléphone l'appelle sur une autre production, le premier film se tourne, on change d'équipe, etc... Il est forcé d'accepter n'importe quelle affectation et c'est ainsi que des films traînent et que six ou sept auteurs se trouvent avoir travaillé successivement sur le même scénario. J'ai reçu, il y a quelques jours, une proposition de Hollywood et dans la lettre il est indiqué : « *On est en train de finir le onzième script de cette histoire* » ; ce qui est normal puisque ces changements correspondent aux différentes équipes pressenties pour faire le film.

Très souvent, on appelle à Hollywood un jeune auteur qui a écrit une *short story* remarquée, une bonne pièce ou qui a obtenu le *Pulitzer price*. Une fois à Hollywood il devient incapable d'écrire une ligne puisqu'il n'y a pas de vie, pas de ville mais un monde clos. Après dix ou douze ans de cet exil, il décide de rentrer à New York et son vrai don, si longtemps contenu, explose, et il réussit. L'écrivain avisé est celui qui vend ses histoires en refusant de venir travailler à l'adaptation.

On se fréquente..., on se rencontre..., on circule en voiture entre son appartement et le studio et, dans la quatrième voiture à gauche on reconnaît un visage : c'est celui de Renoir par exemple et l'on se dit : « *Tiens ! par exemple ! Alors, à bientôt, on se téléphone* » et ça continue dans le flot de cette ville, dans cette rivière. Les rencontres qui sont restées très nettes dans mon souvenir, sont les soirées chez les amis ; il n'y a pas de concerts, pas de spectacles ; seulement les living-rooms de copains ; on parle et puis on se projette un film ; on discute pendant le film et après ; c'est ainsi que se créent des circuits d'amis pour des films ; on se téléphone le lendemain : « *Quel succès, hein ?* ». En réalité il n'y a eu que six personnes à le voir ! Je me souviens d'avoir vu *Le Cheik* avec Renoir chez James Mason, un soir ; il y a aussi le bébé de la maison qui voit le film et s'endort peu à peu ; j'imagine que la vie est semblable aux colonies ; même à Hollywood, il y a des colonies d'origine : les Européens, le très stricte colonie anglaise, etc...

Ce déferlement récent des acteurs américains sur l'Europe correspond à leur besoin d'échapper à Hollywood ; à mon avis, il va même se grouper à Hollywood une petite colonie des acteurs américains qui sont venus en Europe ! Avant la guerre, quelque part en Europe j'ai rencontré le fils de Thomas Mann, Klaus Mann qui revenait d'Hollywood ; je lui demandai : « *Comment est-ce ?* Il me répondit : « *Imaginez que vous êtes boulanger et qu'un jour vous êtes transporté sur une île où il n'y a que des boulangers !* » C'est exactement cela.

Pour moi qui adore les acteurs, il est intéressant de les étudier dans différents centres de travail. En Amérique, l'acteur est avantagé — dans son travail — par la discipline des compagnies ; sans sacrifier son talent ni sa sensibilité, il apprend la précision et d'abord avec des choses extérieures : il est toujours à l'heure, il connaît son texte en arrivant, il est moins un bohème que le membre d'une grande troupe industrielle. De cette précision, de cette exactitude extérieures, il s'ensuit qu'il est plus prononcé dans son expression, plus *intuitif* que l'acteur européen, plus *efficace*, plus *décisif* dans sa tâche. D'autre part cette technique qui l'entoure le protège très opportunément. C'est ainsi que l'acteur américain atteint si souvent à cet art que je considère à la base de notre métier, cet *art des masques précis* ; cela donne Humphrey Bogart ou Greta Garbo. J'admire, chez l'acteur américain, la grande ligne de son expression qui traverse un film comme un travelling le décor ; il est martelé, comprenez-vous, et j'ai trouvé fascinant, par exemple, de travailler avec un homme comme James Mason que j'aime comme ami et que j'admire comme artiste. Le premier jour qu'il arrive sur le plateau, cet homme est comme un train sur des rails : il sait où il va, rien ne peut le faire dévier. C'est extrêmement intéressant. Le metteur en scène doit accepter l'acteur américain comme il est, il doit prendre ses responsabilités lorsqu'il fait sa distribution et je crois que s'il est habile il essaie de bâtir son film sur l'acteur comme on cimente une maison. Ce que j'ai rencontré-là était magnifique à voir, cet élément architectural exact chez l'acteur américain. Evidemment, le danger de glisser vers la tricherie existe comme existe la grande perfection du masque, tant pis pour les médiocres ! En général, je trouve que tous ceux qui ont travaillé avec moi sont des acteurs formidables. J'ai particulièrement aimé Joan Bennett, Barbara Bel Geddes, Joan Fontaine, Douglas Fairbanks Jr, James Mason, Bob Ryan ; ce fut un plaisir, ils étaient les personnages avant d'ouvrir la porte du studio et pour moi c'est toujours le signe d'un grand acteur quand le metteur en scène à l'impression de voler quelques instants du personnage au cours d'une scène ; mais le personnage existe avant la scène et après. Je dois dire que l'acteur américain est avantagé car il ne sera pas « dérangé », le fil ne sera pas rompu qui le relie à son personnage puisqu'il ne lui reste que le studio, la voiture et son appartement : il ne peut pas sortir. Il y a là, peut-être, une très grande invention : cette ville de boulangers où l'on ne peut faire que du pain ; cela peut être écrasant mais cela peut aussi créer des miracles.

La question du montage rejoint celle de la liberté des metteurs en scène ; chaque cas est un cas particulier. Je dois dire qu'il y a dans le montage, à Hollywood, des as comme les pilotes des « jets ». Les pilotes sont certainement épris de perfection à la manière des grands as du montage américain. Ce sont des hommes qui font ce métier pendant trente ans. Ils ont acquis un rythme qui les relie aux nerfs du public. J'ai travaillé chez *Columbia* avec un monsieur qui était depuis des années et des années le chef monteur de Capra ; j'ai eu un respect énorme quand on m'a dit qu'il allait monter mon film ; le premier jour, j'ai à peine osé voir mes *rushes* avec lui ; il ne parlait guère ; il disait : « *Je vais vous monter ça pour après-demain.* » Il l'a fait et j'ai trouvé ça très très bien.

Deux semaines plus tard, on se parlait et j'ai découvert un homme plus avancé dans la science du montage que moi, un homme qui, en même temps, comprenait très bien les intentions de mise en scène. Evidemment, j'ai peut-être eu beaucoup de chance... je n'ai travaillé qu'avec trois monteurs ; l'un d'eux est devenu metteur en scène, c'est un monteur du tonnerre de Dieu, très jeune : Bob Parrish ; on s'est beaucoup amusé dans ce travail. Dans le film « d'usage » le monteur a une position très forte : il la défend bien et il a raison car il peut donner à certains de ces films — par exemple les westerns que l'on sous-estime en Europe — un rythme magistral. Ils ont évidemment à leur disposition un matériel formidable. Quand j'ai tourné *Les Désemparés* et que le premier montage était fait, un monsieur arriva pendant la projection, très bien habillé, comme le Président Roosevelt, avec les mêmes lunettes, et il me dit : « *Je suis le monteur du département des bruits, chef monteur avec deux autres monteurs de bruits.* » Il a regardé le film et de temps en temps il me demandait : « *Et ici ? vous voulez des bruits de canards sauvages ?* » je dis : « *Si vous voulez, essayez toujours.* » Puis : « *Le moteur du canot, c'est un vieux moteur n'est-ce pas ? — Bon, vous allez écoutez ça, disons jeudi prochain* » et il faisait un montage de bruits préventif, seulement pour me le soumettre et l'on recommençait jusqu'à complète satisfaction.

Ce confort d'exécution, cet investissement d'argent dans la production, c'est quelque chose qui aide énormément. De même pour la musique. Le metteur en scène peut demander que la musique soit faite provisoirement sur piano. Vous entendez toute votre musique ainsi et vous pouvez grouper, couper, ajouter ; c'est une sonorisation provisoire. Si un jour, on peut ici consacrer l'aide au cinéma pour des choses pareilles, ce sera très bien.

Un désaccord entre le metteur en scène et le studio est en général très grave. Il faut être très habile et tenter d'éviter le conflit mais si l'on n'est pas son propre producteur on est vaincu d'avance, par contrat, puisque l'on n'est pas protégé comme en France en tant que co-auteur de l'œuvre. Dans chaque contrat qui vous lie à un studio, il est spécifié très nettement que la dernière décision appartient au studio. Je crois cependant que les « executives » sont assez intelligents pour ne pas abuser de leur pouvoir quand ils apprécient la personnalité du metteur en scène. C'est comme la flotte anglaise : elle est devant le port mais ne tire pas. Sans quoi, les « grands » qui sont là-bas n'auraient jamais fait leur chemin.

Les « B pictures » : c'est un groupement tragique pour mes collègues américains car une fois que vous êtes dans les « *B pictures* » il est très difficile de progresser : vous êtes classé. Il faut un coup de chance pour en sortir ou alors être très jeune. Il y a beaucoup de metteurs en scène à Hollywood. J'ai été sidéré un jour lors d'une assemblé des « *directors-guild* » ; nous étions à peu près 380 metteurs en scène ; je crois que tous, nous tournions. Ce soir-là, on était là pour une séance de renouvellement de contrat collectif ; il s'agissait d'arriver à un nouvel arrangement, justement pour les metteurs en scène de « *B pictures* » qui par contrat n'ont, en général, pas le droit *d'assister* au montage. Ils quittent le film au dernier jour du tournage. On a beaucoup parlé de cela ; il y a sans doute des talents qui ne peuvent se révéler puisque leurs intentions sont trahies par un montage inadéquat. On revendiquait le droit de proposer un premier montage au producteur. William Wyler présidait le congrès : « *Qui est pour ? Qui est contre ? Que ceux qui sont pour lèvent le bras !* » Naturellement tout le monde lève le bras et moi avec. Je suis assis à côté de Fritz Lang qui m'intime : « *Descendez votre bras.* » Je laisse mon bras en l'air : « *Descendez votre bras ! — Je ne le baisserai pas !* » Après le meeting j'interrogeai Fritz Lang : « *Pourquoi vouliez-vous me faire baisser le bras ?* » Il me répondit : « *Mais vous n'avez pas entendu la phrase ? Dans le projet on parlait de montrer un montage au producteur. Approuver cela, c'est reconnaître l'institution de* producteur ! »

Fritz Lang par la suite a fait preuve de logique ; il a eu avec Walter Wanger une maison de production : *Diana* et il a eu un contrat de *director-producer* et je lui ai dit : « *Producteur, vous l'êtes à présent, alors ? — Mais regardez mon contrat : je touche comme metteur en scène tant comme salaire, et comme producteur 1 dollar et je trouve que c'est largement payé !* »

Il y a d'ailleurs aujourd'hui de plus en plus de metteurs en scène-producteurs à Hollywood et c'est un progrès énorme.

Il faut conlure : être un metteur en scène hollywoodien n'est pas un destin très enviable, mais si l'on veut et si l'on est décidé, on peut faire de très bons films à Hollywood.

(Propos recueillis au magnétophone par J. R. et F. T.)
Cahiers du Cinéma n° 54, Décembre 1955.

L'ART TROUVE TOUJOURS SES VOIES

Il y a vingt ans, j'ai vécu à Breslau un moment décisif. Comme Hans Albers, sur l'écran, donnait du feu à quelqu'un, les gens dans la salle applaudirent, parce qu'ils entendaient distinctement le frottement de l'allumette sur la boîte. Moi, ça m'attristait un peu : je trouvais si beau, jusque-là, qu'au cinéma muet on puisse rêver un tel craquement, chacun à sa guise. Le film sonore était né.

Les années qui suivirent, le son se perfectionna. On comprit ce qu'Albers disait et, ce qui intéressait, ce n'était plus seulement le *fait* qu'il donnât du feu, mais *pourquoi* il en donnait.

Nous avons maintenant franchi une nouvelle étape. A Paris, on lisait même sur le journal : "Une dame s'assied au troisième rang. Arrivée trop tard, elle n'a pu prendre une place qui lui convienne. Elle chuchote à un imposant monsieur assis devant elle : « *Pouvez-vous ôter votre chapeau, je vous prie ?* » Celui-ci se retourne : « *Pardonnez-moi, chère Madame, mais j'appartiens au film.* » C'est le relief.

Un très célèbre acteur anglo-américain m'a écrit : « Je commence à douter de moi. Peut-être ne suis-je pas un acteur à trois dimensions, mais seulement un "plat" ». Cela devient sérieux.

Aujourd'hui le *Film français* publie une statistique. *"Saison 1953-1954 : Le cinémascope victorieux à Broadway : 604.500 millions de recettes. Les nouvelles dimensions 2,55 x 1, 2,30 x 1 ainsi que 1,80 x 1 se sont définivement imposées. Il n'y a plus aucune possibilité de retour."* Dommage.

Un retour, pourtant, a du bon et en marchant en avant — surtout aujourd'hui où l'on a si souvent l'impression que la terre n'est plus qu'un tapis roulant sous vos pieds — on ne sait plus très bien si les pas que l'on fait ont vraiment un sens. Dans l'histoire du théâtre par exemple, l'invention de la rampe me paraît moins intéressante que la naissance de Schiller, l'orchestre disparaissant est d'une moindre signification que Mozart ou Kurt Weill.

Je ne suis pas l'adversaire des nouveautés techniques, mais pas non plus leur porte-drapeau. On demandait à Fritz Kreisler ce qu'il pensait de la télévision. Il répondit à peu près : « *Lorsqu'on inventa le phonographe, j'étais contre le phonographe, lorsqu'on inventa la radio, j'étais contre la radio ; parce que je suis un homme de progrès, je suis maintenant contre la télévision.* »

Les anciennes inventions, je les trouve, en revanche, pleines de charme, poétiques. J'aime à Paris dans les cages d'escalier parcimonieusement éclairées les vieux ascenseurs hydrauliques. Le plus souvent ils sont hors de service et leur existence a seulement la signification d'un geste courtois, mais, quand ils fonctionnent, il se passe un beau moment, jusqu'à ce que la chose en question vous arrive en bruissant du sixième étage. On est obligé de quitter son impatience du jour pour quelques minutes tranquilles, on accepte, comme un cadeau, l'obligation soudaine de méditer encore une fois en paix sur ce qu'on racontera à l'ami qu'on va trouver ; on peut encore une fois ressasser les motifs qui vous amènent chez une amie.

Peut-être fais-je partie de ces gens qui, dans la course contre les victoires de la machine, ont besoin de temps pour reprendre haleine. Il y a une chose, du moins, que je sais.

Dans le cinéma, une vie entière est nécessaire pour s'y connaître en noir et blanc, avoir la machinerie si bien en main qu'on soit avec elle à tu et à toi, qu'on puisse tout exiger d'elle, sans se laisser *imposer* par elle. Je crois que la fin de toute technique est de se laisser surmonter. On devrait la dominer si bien qu'elle serve seulement à l'expression, qu'elle devienne transparente, qu'au delà de la reproduction de la réalité, elle soit l'instrument de la pensée, du jeu, de l'enchaînement, du rêve.

« *Exercices de doigts, exercices de doigts* » disait mon professeur de piano à Saarbrück, « *longtemps seulement après les exercices de doigts, vient la mélodie* ». Je conserve encore le précepte, épinglé en tête de la Première Sonate de Beethoven. Je n'avais pas beaucoup de talent. Ma mère payait Herr Nellius 2 marks 50 l'heure, mais je crois que pour la connaissance qu'il m'a donnée du rapport entre les exercices de doigts et la mélodie, ce n'était pas compté trop cher.

Le cinéma me semble sortir tout juste de l'âge des exercices de doigts. Nous commençons tout juste à nous approcher de la mélodie, parfois même à entendre des thèmes, je veux dire : à les voir... et boum, sur ces entrefaites survient une nouvelle invention ; en arrivent aussitôt deux, trois de suite à court intervalle, conformément aux étapes de l'évolution, couleur, relief, écran large... et boum, tout est à refaire alors qu'on était tout au plaisir, ou aux difficultés du jeu.

Je ne veux rien dire là contre. L'évolution se moque bien des avis. Elle ne se laisse pas arrêter, c'est dans son caractère ; mais, je vous prie, permettez-moi d'éprouver un peu d'angoisse. Peut-être cela pourrait-il nous servir à tous deux, à l'évolution et à moi. Devant les « panorama », je suis timide. Leur absence d'intimité m'effraie. J'ai vu trop de panoramas où l'humour perdait pied : Napoléon à Leipzig, les journées du parti à Nüremberg, le passage de la Mer Rouge. Aux grandes choses, on ne peut assigner de limites. Deux grands-parents juifs avaient consacré tout l'argent qui leur restait à faire venir d'Europe leur petite-fille. Pour son premier soir à New York, ils amènent l'enfant de quatre ans sur la plus haute terrasse de L'Empire State Building : « *Eh bien, que dis-tu maintenant ?* » demande le grand-père avec une émotion pleine de fierté. « *Je me l'étais imaginé plus grand* », répond la petite.

Je voudrais reprendre haleine.

Je voudrais pouvoir regretter que nous, auteurs de films, qui avons dû apprendre à

181

nous bien conduire avec les firmes, les commandites, les maisons de distribution, avec toutes sortes d'appareils, les micros, les projecteurs, les objectifs, nous soyons forcés de nous familiariser encore avec d'autres instruments. Si l'on avait, il y a cinquante ans, inventé le cinéma sur grand écran et en couleurs, la crise de production actuelle nous aurait fait retourner aux petites dimensions et au blanc et noir.

Pourtant, je voudrais un jour trouver sans chercher « *comme devant moi dans la forêt* » (so in walde vor mich hin) un thème qui ne se présente pas autrement à mes yeux qu'en couleurs, à trois dimensions et sur grand écran, où tous ces éléments-là ne s'ordonnent pas seulement en vue d'un jeu formel, mais puissent faire surgir d'eux une véritable dramaturgie. Peut-être quelque chose de ce genre fleurit-il en cachette. Cela ne doit pas être de bout en bout bariolé, multiple, à plusieurs faces : seul un judicieux dosage de tels procédés est capable de nous arracher à la médiocrité. Une danse peut, portée par la musique, accéder du plat aux trois dimensions, comme la lumière sur le prisme se brise et se multiplie. Et quand, dans une loterie, quelqu'un tire le gros lot, il peut visiblement *élargir* son standard de vie aussi vite que son bureau — et *l'élargir* encore et encore...

Un des producteurs français le plus intelligent, le plus lucide, le plus large d'idées déjeunait avant-hier avec moi. Il arrivait justement de Londres où on lui avait fait la démonstration d'un nouveau procédé « Superdimensionel » qui ne laisse rien échapper. Il discuta avec moi d'une idée pour le nouveau système : il me proposait une opérette d'Offenbach. Je dis oui. J'aurais dit oui pour Offenbach, même sur lanterne magique.

Et puis, je ne peux vivre sans le cinéma, comme un mari sans la femme qu'il aime. Et quand elle arrive à la maison avec un nouveau chapeau qu'il trouve exagéré, ça peut troubler l'amour, mais ça le menace rarement. Elle a dit si souvent déjà : « *Tu ne le vois pas comme il faut, ça viendra, attends un peu !* » Et d'ailleurs on peut rectifier le chapeau jusqu'à ce qu'il vous semble joli : « *Vois-tu*, dit-elle, *tu t'y es déjà habitué !* »

Je dois m'y habituer, pour qu'il ne m'arrive pas la même mésaventure qu'à un acrobate français que j'ai rencontré en Amérique. Il avait un tout petit restaurant à Hollywood, ça s'appelait *Le Tricolore*, et, depuis longtemps, n'exerçait plus son métier. Il boîtait. « *Savez-vous comment c'est arrivé ?* me raconta-t-il. *J'étais toujours engagé dans des cirques à une seule piste ; mais à Chicago, je suis entré dans un établissement à quatre pistes. Je n'y étais pas habitué. Et, comme j'étais, là-haut, suspendu au trapèze, je me mis à penser tout à coup : les gens ne me regardent peut-être pas, ils lorgnent Dieu sait où, peut-être les chameaux sur la piste 1, peut-être le prestidigitateur au numéro 2 ou la pyramide de chevaux au 3. Et sous moi étaient vingt clowns qui débitaient leur boniment. Mais moi, pensai-je, je suis pourtant une personne et non un numéro... et alors je suis tombé.* »

Il n'y était pas habitué depuis assez longtemps. Et quand l'un de nous commet une maladresse, il n'a pas la même chance en tombant : il se brise plus que le pied.

Cahiers du cinéma n° 55, janvier 1956
(Traduit de l'allemand par Eric Rohmer).

IL FAUT TUER LA PUBLICITÉ

Assez bien accueilli par la critique, Lola Montès *divise le public parisien à tel point que la police a dû intervenir plusieurs fois au cinéma Marignan et qu'on a fait précéder le film d'une annonce au micro : le public est averti qu'il va voir un film « sortant de l'ordinaire » et qu'il est encore temps, pour lui, de se faire rembourser avant les premières images.*

Ainsi tout semble être rentré dans l'ordre mais il est probable qu'une publicité plus adroite et mieux adaptée au film aurait évité ces regrettables incidents : à la question rituelle : « La bataille de Marignan, quelle date ? », l'élève cinéphile de demain répondra : « 25 décembre 1955, à la fin de la première soirée de Lola Montès *».*

Max Ophuls, le nouveau vainqueur du « Marignan » a bien voulu nous faire le récit du combat :

Il faut tuer la publicité, c'est la tâche la plus urgente. En cinquante années le cinéma a changé de physionomie : il est devenu sonore, coloré, en « relief » ; l'écran s'est élargi, les vedettes, les auteurs, les producteurs et les techniciens se sont renouvelés, mais la publicité est restée ce qu'elle était lorsque le cinématographe était un spectacle forain. Cette publicité qui, avec les mêmes slogans, promet invariablement les mêmes choses ne correspond ni aux goûts du public ni aux intentions des auteurs ; elle ne satisfait que celui qui la commande et celui qui l'exécute ; d'un bureau des Champs Elysées au bureau d'en face se congratulent ces deux personnages par-dessus la tête du public, qui se trouve ainsi bafoué, déçu, trompé dans son attente et, en fin de compte, volé.

Quand on m'a proposé de faire un film sur « Lola Montès » j'ai pensé que ce sujet m'était absolument étranger. Je n'aime pas les vies dans lesquelles il se passe beaucoup de choses. On peut faire un film sur un tout petit fait. Cependant, depuis *Madame de...*, j'avais entrepris et abandonné trois films, n'ayant pu imposer ma conception du scénario : « Mam'zelle Nitouche », « L'Amour des quatre colonels » et « The Blessing » (Le Béni). J'en étais au point de penser : il faut faire un film !

Un jour, le producteur m'a raconté la vie de Lola Montès et j'ai été pris de vertige et de pitié ; pitié pour cette pauvre Lola, pitié pour le cinéaste qui accepterait cette commande ! J'avais quatre semaines pour me décider : j'ai lu toutes les biographies dont celle qu'avait écrite Cecil Saint-Laurent. A travers celle-ci, j'ai cru déceler un « cerveau » un sujet « enlevé » par un tempérament qui « sentait juste ». Mais je trouvai la rédaction trop hâtive. Je rencontrai donc Laurent et lui dis ma pensée : je venais de lire un roman de lui qui m'avait enthousiasmé et dont je voulais absolument faire un film, « Une sacrée salade ». J'arrivai trop tard : le roman était vendu et un metteur en scène était désigné : Alexandre Astruc. J'irai voir son film dès que j'en aurai terminé avec toutes ces tribulations.

Dans le même temps, je lisais les journaux et je fus impressionné par une série de faits divers qui, directement ou non, me ramenaient à *Lola Montès* : une crise de dépression nerveuse de Judy Garland, les démêlés sentimentaux de Zsa Zsa Gabor, et je méditai sur la fulgurance tragique des carrières d'aujourd'hui, le manque de « haltes » ; j'appris que *Lola Montès* avait joué sa vie dans un théâtre en Amérique et que le spectacle avait été un échec : il se passait tant de choses que les gens ne croyaient plus à la véracité !

Et puis, une fois de plus, je relisais Pirandello.

Au bout de quatre semaines, j'ai apporté un « traitement » en trois pages : si le producteur me l'avait refusé tel qu'il était, j'aurais abandonné le film : les trois pages devinrent dix, vingt, trente puis lorsque la construction de l'intrigue fut achevée, nous commençâmes le découpage, Annette Wademant, Jacques Natanson et moi.

Il y eut ensuite une assemblée générale avec toute la production à l'issue de laquelle nous fûmes tous trois « condamnés à mort ». J'entrepris de convaincre une dernière fois les producteurs, me montrai persuasif et obtins gain de cause !

J'allai donc tourner mon premier film en couleurs qui se trouvait être en même temps mon premier cinémascope ; tout cela posait beaucoup de problèmes : je regardai inlassablement des toiles de Brueghel, ce grand professeur...

Dans ces carrières modernes dont je parlais, la publicité joue un grand rôle. Cette publicité que je méprise si fort, j'avais décidé de lui donner une place importante dans mon film. Les questions que le public du cirque pose à Lola m'ont été inspirées par les jeux radiophoniques d'émissions publicitaires follement impudiques. Je trouve effrayant ce vice de tout savoir, cet irrespect devant le mystère. Le cirque de Lola pourrait exister à Broadway dont la devise semble être : vendre l'homme devant l'homme.

A Lausanne, tandis que je préparais le film, je reçus la visite d'un directeur de cirque qui sortit de son portefeuille la photo d'un éléphant, lequel, en huit ans de travail, avait appris à jouer du piano. J'ai décliné l'offre de ce monsieur d'engager son éléphant pour mon film, mais le visage de mon visiteur ne me quittait plus et c'est ainsi qu'est née la scène au cours de laquelle Ustinov rend visite à Martine Carol.

J'ai pensé aussi à un restaurateur français que j'avais rencontré en Amérique et qui m'avait raconté l'histoire de sa jambe de bois. Il était acrobate à Médrano et avait été engagé par un cirque américain à trois pistes. Au moment de faire son numéro de voltige, il considéra un instant les pistes voisines et songea : *« Peut-être qu'on ne me regarde même pas ! »* Et il termina : *« C'est ainsi que je suis tombé ! »*.

C'est sur ce thème que j'ai construit mon film, sur l'anéantissement de la « personnalité à trois pistes », sur la cruauté et l'indécence de ces spectacles fondés sur le scandale.

J'ai voulu dire et montrer ces choses nouvelles, en tout cas inhabituelles, d'une façon également inhabituelle ; je ne voulais pas faire un film d'avant-garde. Vous avez écrit que j'étais le meilleur technicien français : ce n'est pas vrai, quelques-uns de mes collègues sont capables d'en faire autant mais ils n'osent pas. Si mon exemple pouvait leur donner envie de suivre leur fantaisie et de « risquer le coup » je serais très content. C'est tellement agréable de mettre les pieds dans le plat de temps à autre !

(Propos recueillis par François Truffaut) *Arts* N° 549 du 4 au 10 janvier 1956

Tournage de *Lola Montès*

LE DERNIER JOUR DE TOURNAGE

Il n'y en a pas. Il y a, le dernier jour, quelques dernières heures, mais qui ne font pas un jour. Pas de conclusion, pas d'apothéose, pas de dernier accord, pas de baguette posée sur le pupitre : le film se disloque, il se perd dans les sables.

Depuis plusieurs jours déjà, l'émiettement commence. Les gens s'en vont un à un. Eux qui, il y a quatre mois, au moment d'un contrat avaient perdu une heure à vous prouver combien ils étaient indispensables, en prennent deux, maintenant, à vous persuader de leur inutilité. Ils veulent partir. Ils peuvent être engagés dans un autre film qui commence cette semaine : « *Voyez-vous, vous savez pourtant combien je suis consciencieuse, mais vous vous tirerez aussi bien d'affaire avec une seule script-girl. Eva le peut aussi bien que moi, et, dans ce cas, c'est aussi le syndicat français... mais, mais j'ai déjà téléphoné... d'accord avec lui, pour qu'une jeune fille allemande soit nommée... oui, déjà, je comprends... mais d'ailleurs, j'ai un télégramme. Lisez !... »*

Les télégrammes venant des autres villes, des autres firmes, des autres continents, ce sont comme des coups de poignard dans le dos, au dernier jour de la bataille.

La vedette a un télégramme, l'autre vedette en a deux. Le décorateur et l'assistant cameraman, l'habilleuse... On porte involontairement la main à l'une de ses poches et on s'étonne de n'en avoir soi-même aucun.

Molière s'en tirait mieux. C'était un chef de troupe avec le caractère désagréable, autocratique, propre à la fonction. En ce temps-là, il n'y avait pas de télégrammes, pas d'autre film, pas de film du tout. Et puis les nôtres n'y peuvent rien : les coupables, c'est la course au gain, c'est le grand escalier du succès. Aussi les déserteurs sont-ils plutôt de très lamentables déserteurs. Ils sont sensibles, lorsqu'ils ont du talent, presque autant que les membranes des appareils d'enregistrement « surcompensés » et, avant d'avoir commencé, ils flairent dans l'air du studio, le sort qui les attend.

Soudain, on aperçoit derrière les décors le mur noir du studio. Soudain une perruque ne se trouve plus être si bien peignée que le jeudi précédent, un bouton de guêtre se découd, une page du script se décolle ; on dirait presque que le courant est moins fort sur les lampes, la serveuse à la cantine vous présente votre compte à régler et le coiffeur demande un autographe « Pas pour moi, pour ma fille. Elle collectionne ceux de tous les artistes... ».

Devant moi l'écuyer, éclairé de vert, chante dans l'objectif de soixante-quinze milli-mètres : « *Celui qui possédait Lola, était possédé par elle...* »

Derrière moi, on chuchote : « *J'irai en Bretagne. Dans le Midi, il y a tellement de monde et je n'ai que 500 francs à mettre par repas !* » Je fais comme si je n'avais d'oreil-les que pour une direction : « *Pierre, je t'en prie, encore une fois. Et un tout petit peu plus fort.* » C'est seulement pour que je n'aie pas à entendre ces Erynnies de vacances.

« *Celui qui avant le premier jour de vacances, pense aux vacances, ne passera pas de vacances à mon théâtre* » me disait un jour un directeur de théâtre chez qui j'étais enga-gé comme débutant. Mais ce n'était qu'un petit théâtre de province et non un grand film. Du reste le directeur était subventionné.

Les producteurs ne le sont pas. Ils aiment à donner des vacances. Ils sourient lorsque les prises de vues tirent à leur fin. Ils sourient un : « *Enfin !* » Ils sourient. Au début — on ne sait déjà depuis combien de temps ça dure — ils avaient sorti leur sourire d'inauguration. Mathématiquement leur bonne humeur avait disparu dès la deuxième partie du tournage. Ils avaient perdu de vue les rives, surtout que, comme il arrive si souvent, le film durant plus longtemps que prévu, ils devaient nager au large, sans côte devant eux, avec à peine un horizon à leur disposition.

Je les comprends. Le temps, en notre temps, c'est surtout beaucoup d'argent. Dans le marasme actuel, être homme d'affaires a quelque chose de particulièrement héroïque. Entre les manœuvres de bourse et la bienfaisance, les frontières s'estompent. Le der-nier jour de tournage est comme un armistice pour eux. C'est dans une telle ambiance qu'on demandait au président d'une firme d'Hollywood : « *Pourquoi prisez-vous tant les scénaristes et n'aimez-vous pas les metteurs en scène ?* » Et il répondit : « *Quand le scé-nariste est là, il s'agit d'une histoire. Quand le metteur en scène commence, il s'agit d'un d'un devis.* » Si j'étais un commerçant, je ne serais pas un producteur. Seuls des artistes devraient exercer ce métier. Les lourdes responsabilités financières et les cauchemars, on les supporte plus aisément quand on a des espoirs sur le plan artistique, et la légère-té d'un esprit peu réaliste est propre à aplanir les difficultés. Le dernier jour de tourna-ge, je me suis réconcilié avec notre directeur général.

Un dernier jour de tournage, comme les lumières venaient de s'éteindre pour la der-nière fois, nous étions amis, dans le studio redevenu vide, trois acteurs et moi « *Quels bons et durs moments, nous avons passés* » dit l'un. « *Quel bon temps — et sans rideau ! Si nous brisions les décors, en guise de conclusion !* » Quelques minutes plus tard, nous étions haches en main et nous abattions les murs de plâtre. C'était en 1930. En 1955 avec nos cheveux blancs et mon crâne chauve, on aurait peine à croire à de tels empor-tements ! Et pourtant cela me ferait tellement plaisir !

Ce matin, de bonne heure, j'ai voulu encore une fois aller dans le cirque abandonné. Il y avait là des gens étrangers. Je ne voyais que leurs dos : des dos solides, me sem-blait-il. Ils discutaient avec le chef du studio de la façon dont ils pourraient, à leur tour, utiliser et transformer mes décors. Je pense, bien à tort, que des gens qui veulent faire recuire mes rêves et en nourrir leurs propres rêves devraient avoir le dos solide. Je ne suis plus retourné au cirque.

Maintenant que me revoilà libre, je ne sais qu'entreprendre. Pendant la nuit, comme on allait finir, j'ai perdu mes lunettes dans un tas de vieilleries. Je voulais après déjeuner aller chez l'opticien m'en faire faire de nouvelles. Mais voici mon charmant directeur de production qui me les rapporte. Que vais-je faire de mon après-midi ?

Il devrait finir dans la tristesse, en ce dernier jour de tournage, sans cette consolation : il faut qu'il y ait un dernier jour de tournage. Sinon il n'y aurait pas de prochain premier jour de tournage !

Cahiers du cinéma nº 59, mai 1956.

Max Ophuls dirige Martine Carol (tournage de *Lola Montès)*

LETTRE OUVERTE AU FIGARO

Nous avons entendu dire, dans certains milieux, en ville, tant de mal et de bien de ce film, qu'après l'avoir vu nous avons éprouvé le besoin de nous téléphoner pour échanger nos impressions. Nous sommes tombés d'accord pour admettre que *Lola Montès* constitue une entreprise neuve, audacieuse et nécessaire, un film très important et qui arrive au moment où le cinéma a le plus urgent besoin de changer d'air. Nous avions également entendu dire : « Il ne plaît pas au public et les films sont faits pour le public ». Nous répondons qu'il n'est pas prouvé que le public boude ce film dont la carrière vient seulement de commencer. Par ailleurs, *Lola Montès* ne ressemblant pas du tout à ce que l'on a l'habitude de voir sur les écrans, il est normal qu'une partie du public puisse se sentir perplexe devant cette œuvre.

Nous nous demandons si les spectateurs, arrivant dans la salle prévenus par tant de rumeurs contradictoires, auront le courage, s'ils aiment le film, de le manifester ouvertement.

Nous pensons que *Lola Montès*, est, avant tout, un acte de respect à l'égard du public si souvent maltraité par des spectacles de niveau trop bas qui altèrent son goût et sa sensibilité.

Ce film n'est pas un divertissement. Il donne à réfléchir, mais nous croyons que le public aime aussi réfléchir. Pourquoi un homme devrait-il apprécier un livre d'une certaine qualité et rejeter un film de qualité égale ?

Défendre *Lola Montès*, c'est défendre le cinéma en général, puisque toute sérieuse tentative de renouvellement est un bien pour le cinéma et pour le public.

Signé Jean Cocteau, Roberto Rossellini, Jacques Becker, Christian Jaque, Jacques Tati, Pierre Kast, Alexandre Astruc.

5 janvier 1956, Le Figaro

Tournage du *Plaisir*

ENTRETIEN AVEC MAX OPHULS

par Jacques Rivette et François Truffaut

Je vous raconte mon premier souvenir de cinéma. J'étais tout petit : c'était à Worms, pendant la foire, sous une tente. Sur l'écran, on voyait un bonhomme derrière un bureau : il avait mal à la tête et paraissait complètement affolé ; il écrivait quelque chose, il fumait nerveusement, il était en colère et tout à coup il a pris l'encrier et a bu l'encre : alors il est devenu tout bleu. Ce film m'avait énormément impressionné parce qu'il était, surtout pour un enfant, totalement féérique et invraisemblable : comment, en buvant de l'encre, peut-on devenir tout bleu ? Une fois rentré chez moi, je dois avouer que j'ai essayé à mon tour ; j'ai bu de l'encre : seule ma langue est devenue bleue, rien d'autre n'est arrivé. Voilà mon premier souvenir de cinéma.

Beaucoup plus tard, quand j'étais au théâtre où m'avait entraîné mon envie d'être acteur et où j'étais devenu metteur en scène, par hasard et sans grand succès, je voyais de temps en temps des films muets : ceux de Fritz Lang me plaisaient beaucoup. J'étais toujours attiré par les films qui n'avaient rien à voir avec le naturalisme. Tout en étant un admirateur, un « fan » de Murnau, parce que ce dont j'osais à peine rêver il le faisait, je n'avais pas envie de faire du cinéma ; je ne pensais d'ailleurs pas en être capable, parce que j'étais trop homme de théâtre... A propos de Murnau, je vous raconte une histoire. Vous avez vu *Faust* ? C'est fantastique, n'est-ce pas ? Eh bien, Murnau faisait passer des essais à Berlin parce qu'il n'arrivait pas à trouver sa Gretchen. Arrive une petite fille qui vient doubler les actrices, mais seulement les jambes, parce qu'elle avait de très belle jambes : un jour, elle doublait les jambes de Lil Dagover, je crois, et on lui avait donné des chaussures trop étroites, mais on payait 5 marks les doublures de jambes, soit 2 marks de plus que les simples doublures ; comme elle avait besoin d'argent, elle souffrait en silence et elle acceptait avec patience que ses pieds soient comprimés par les chaussures. Passe un homme : il se retourne, voit ce visage de patience et décide de faire un essai. C'étaient Murnau et Camilla Horn. Par la suite elle a tourné dans des films commerciaux et a disparu. Mais l'histoire est jolie...

Et puis, j'ai vu le premier film parlant à Breslau ; je crois vous avoir déjà raconté la scène : Hans Albers allumant une cigarette, le grésillement de l'allumette, les applaudissements du public. J'ai pensé alors que c'était probablement le moment où l'on aurait besoin de nous, où les hommes qui n'avaient pas l'habitude de faire parler les acteurs, qui ne savaient pas ce qu'était la parole, seraient dépassés par la situation. Oui, je croyais pouvoir apporter quelque chose, et cependant, j'avais encore des doutes : je ne pensais pas que ce serait mon emploi, je n'osais pas croire que je pourrais travailler à Berlin. La ville était trop grande. J'y avais été une fois, comme acteur, mais j'étais reparti tout de suite, parce que la grande ville me faisait peur. C'est par un hasard incroyable que je suis retourné à Berlin : une troupe de théâtre, qui jouait surtout des pièces politiques, est passée par Breslau. Ils assistèrent aux répétitions d'une pièce que j'étais en train de monter et m'invitèrent à faire une mise en scène dans leur théâtre de Berlin. J'ai donc créé une pièce chez eux, à Berlin. Parmi les acteurs de la troupe, il y avait une actrice qui jouait des petits rôles, et j'étais amoureux ; je cherchais le moyen de rester auprès d'elle après la mise en scène de cette pièce, quand, par hasard, je rencontrai un homme qui me dit : « *J'ai engagé un jeune metteur en scène qui parle très mal l'allemand et je cherche un autre jeune metteur en scène pour s'occuper des dialogues.* » J'acceptai cette proposition, bien que j'aie eu la chance de faire entre temps trois ou quatre.mises en scène de théâtre à Berlin, et je devins ainsi assistant metteur en scène d'Anatole Litvak.

A cette époque, le cinéma se construi-sait, on avait besoin de jeunes, on en cherchait partout et on leur donnait des chances exceptionnelles. Au bout de huit ou quinze jours, les producteurs virent des rushes du film dont j'étais l'assistant et on me fit appeler dans un bureau : « *Voulez-vous faire des films ?* » Je répondis que je n'étais pas certain d'y parvenir, puisque je ne m'étais occupé que des dialogues. « *Nous pensons que si.* » On me dit de chercher dans la bibliothèque du studio un sujet qui me plaise. En fouillant parmi les livres, je trouvai un ouvrage de Kästner, poète que j'admire beaucoup. A côté de moi, un jeune homme me dit : « *Dommage que vous preniez ce livre, c'est celui que j'aurais choisi.* » Le jeune homme en question, débutant comme moi, était Billy Wilder.

— *Ce devait être à l'époque où Wilder travaillait avec Siodmak ?*

— Oui... même après. Je me rappelle que le monsieur qui m'avait offert de tourner m'avait dit : « *Nous avons beaucoup de chance : il y a un jeune journaliste, Robert Siodmak, qui vient juste de terminer un film auquel nous croyons beaucoup : Menschen am Sonntag.* » Une fois que j'eus accepté, il fallut faire mon éducation, corriger les idées fausses que je pouvais avoir sur la fabrication d'un film. On m'emmena au studio : je voyais une femme sur un escalier, terriblement belle, beaucoup trop belle, et qui disait : « *Bon, d'accord. Jeudi 9 heures, mais soyez à l'heure.* » Elle disait cela dans le vide et je ne comprenais pas pourquoi elle n'avait pas de partenaire en face ou à côté d'elle. Il devait être 11 heures du matin, je crois. Et après on m'a montré les laboratoires, les salles de montage, la menuiserie, et tout, et tout. Le soir, je reviens au studio et il y a encore cette femme beaucoup trop belle, sur son escalier, qui dit : « *Bon d'accord. Jeudi 9, mais soyez à l'heure !* »

– *Quel était le sujet de Kästner que vous aviez choisi ?*

– Il a écrit un chef-d'œuvre du roman pour enfants, « Emile et les détectives », et le sujet que j'avais choisi était une féérie ; sans trop m'en rendre compte, j'étais toujours attiré par ces choses-là. Le titre pourrait se traduire à peu près par « On préfère l'huile de foie de morue ». Il s'agit de petits enfants qui, le soir, avalent leur huile de foie de morue et font leur prière avant de s'endormir. Un soir, le plus jeune, lorsque la chambre est toute noire, fait une prière un peu osée : il demande pourquoi ce sont toujours les enfants qui doivent obéissance à leurs parents, s'il ne serait pas possible une fois l'an d'inverser les rôles. La prière monte au ciel : Dieu s'est absenté, mais saint Pierre est là, sur le point de s'endormir, et il se demande pourquoi il n'exaucerait pas lui aussi une prière ; il va dans une chambre des machines pleine d'instruments compliqués et intervertit les pièces « autorité des parents » et « obéissance des enfants ». Le petit se réveille avec un cigare à la bouche, habillé comme un homme. Il se lève comme si tout était normal, passe dans la chambre de ses parents, les réveille, les envoie à l'école. Les parent ne savent plus rien du tout, sont incapables du moindre effort, trop lourds pour faire la gymnastique ; de leur côté, les enfants vont au bureau, ont affaire au percepteur, à une grève des ouvriers, à tous les ennuis qui se présentent et le soir ils préfèrent demander que tout rentre dans l'ordre. Sur ce sujet, j'ai fait un film de 25 à 30 minutes. Pendant trois mois on a hésité à le sortir parce qu'il n'était pas bien bon.

Ensuite, ce fut *Die Verliebte Firma* : c'est l'histoire d'une troupe de cinéastes qui va faire un film en extérieurs et tout marche très mal. Tous les membres de l'équipe tombent amoureux de la petite télégraphiste de la poste ; on pense qu'elle pourrait remplacer la vedette qui n'a aucun talent. On l'emmène donc, parce que tout le monde en est amoureux, et c'était très joli parce qu'au studio, par amour pour elle, tout le monde ment, car elle est très belle mais n'a aucun talent non plus. Finalement elle ne remplace pas la vedette, mais elle se marie. C'était un sujet assez insignifiant mais c'est le premier film où je me suis senti porté du début à la fin, ma première tentative d'imprimer un rythme à un film.

Et puis, *La Fiancée vendue*. Vous connaissez *La Fiancée vendue* ? C'est un chef-d'œuvre de naïveté directe ; d'ailleurs, si Jean Renoir avait composé de la musique, il aurait peut être fait *La Fiancée vendue*. Dans ce film, il y avait un comique extraordinaire qui jouait le rôle du directeur de cirque. Laissez-moi vous parler de lui plutôt que de moi. Il ne pouvait pas apprendre un texte écrit, trop définitif : il fallait lui expliquer la scène, mettre à ses côtés sa femme, qui jouait n'importe quoi, et le laisser improviser suivant la situation ; les dialogues inventés par lui sont des morceaux de grande littérature, ils viennent du cœur, avec humour, à peu près comme chez Chveik. Il

195

s'identifiait terriblement au personnage ; je vous ai dit qu'il jouait le directeur du cirque ? Eh bien, il commençait vers 10 heures. Un matin, je viens vers 9 heures voir si tout est en ordre : je le trouve devant la tente qui servait de décor dans le film en train de fixer une affiche sur laquelle il avait écrit : « *Celui qui endommagera cette tente, il sera puni !* » Il vivait dans le film, avec ce tour d'esprit à la Eulenspiegel, cruel, mais d'une cruauté proche du cœur. Un jour, c'était en 1931, je mâche une herbe devant lui ; il me dit : « *Ce n'est pas bien de manger de l'herbe, à cause des microbes.* » Quelques années plus tard, en 33 ou 34, je reçois une carte postale sur laquelle était collée une coupure d'un journal bavarois : « *Hier, à l'hôpital du village, un agriculteur est mort ; on avait dû lui couper la langue parce qu'il avait avalé de l'herbe.* » signé : « *Beaucoup de salutations, Paul.* » Sous le nazisme, il fut emprisonné plusieurs fois car il jouait dans un cirque et le soir, en quittant la piste, tendait le bras pour faire le salut hitlérien et hurlait : « *Heil.. heu, heu...* » en se grattant la tête comme pour retrouver le nom !

— *Est-ce vous qui avez choisi de faire* Liebelei ?

— Cela s'est fait sur un coup de téléphone d'un producteur pendant que je tournais *La Fiancée vendue*. J'aimais beaucoup la pièce et, quand je l'eus relue, elle me sembla un peu poussiéreuse, mais je l'aimais toujours autant. J'allais donc voir le producteur qui me dit qu'il ne fallait surtout pas que ce soit un film triste, qu'il était d'accord pour le faire du moment que l'on trouvait un « happy end », qu'il

voyait très bien des scènes se passant dans un palais, et il me disait tout cela parce qu'on était à l'époque du *Congrès s'amuse*, du triomphe de l'opérette viennoise. J'étais encore bien jeune, et cette première entrevue se termina très mal ; je me souviens encore du visage bouleversé de la secrétaire, lorsque je sortis du bureau, parce qu'elle me regardait, et je compris que je devais porter sur mon propre visage les traces de cette épreuve. Dans l'après-midi, je reçus un coup de téléphone de la maison de distribution qui me demandait de passer les voir : ils savaient que je ne m'étais pas entendu avec le producteur, aussi me proposèrent-ils de faire le film directement avec eux. Il fut très vite écrit, en trois ou quatre semaines... C'est drôle, j'entends souvent des gens me demander de refaire un film aussi simple, calme, tranquille que celui-là : je ne crois pas que je ne puisse plus le faire, mais je n'ai jamais retrouvé un thème avec un tel silence...

— *La version française de* Liebelei *était-elle entièrement différente ?*

— Non. Je suis arrivé à Paris et je n'avais pas d'argent, alors j'ai accepté de faire une version mixte, puisque le doublage n'était pas tout à fait au point à l'époque, et c'est cette version qui fut projetée dans les grandes salles. On n'a retourné que les gros plans : le reste, c'était la version allemande doublée en français. Il a fallu en tout douze jours de travail.

— *Pourquoi avez-vous eu du mal après* Liebelei, *à filmer des sujets que vous aimiez ?*

— Oui, il y a vraiment une cassure après *Liebelei*. C'était très difficile de retrouver des sujets... disons poétiques. Je crois que j'ai eu une chance, en France, avec *Werther*, mais je l'ai gâchée.

– *Nous ne connaissons pas* Werther, *mais nous avons vu* Yoshiwara...

– Faut pas !...

– ... *Et* Sans Lendemain.

– Pas mal. Je crois que *La tendre ennemie* tiendrait peut-être encore.

– *Et votre film hollandais,* The Trouble with Money ?

– Je crois qu'il tiendrait aussi : il était assez intéressant. Un petit employé de banque transporte une serviette avec de l'argent ; il rencontre un vieil ami, qui était clochard et est devenu portier d'hôtel. Il font un bout de chemin ensemble et, le soir, l'argent a disparu de la serviette. On soupçonne le portier, mais on ne peut pas le condamner parce qu'on ne retrouve pas l'argent. Il y a des gens qui croient qu'il a cet argent et qu'il est donc terriblement intelligent, puisqu'il a réussi à se tirer de son procès : on lui apporte alors d'autres capitaux et il devient très riche. A ce moment, on retrouve l'argent qui avait été vraiment perdu ; il s'énerve parce qu'il sent qu'on a moins confiance en lui : il fait une spéculation malheureuse et finit dans la pauvreté. Voilà à peu près l'histoire.

– *A cette époque, vous tourniez en Hollande, en France, en Italie. Passiez-vous ainsi d'un pays à l'autre parce qu'on vous y appelait ?*

– En Italie, on m'avait appelé. L'homme qui m'avait demandé de venir était un propriétaire de journaux qui avait vu *Liebelei* et qui voulait tirer un film d'un roman qu'il aimait beaucoup et qu'il pu-bliait en feuilleton dans l'un de ses journaux : cet homme s'appelait Rizzoli. C'était sa première aventure cinématographique. Je dois dire que durant ces années où je tournais en Italie ou en Hollande, je n'étais pas en état de choisir.

– *Vous avez eu l'intention de filmer* L'Ecole des Femmes *avec Louis Jouvet ?*

– Oui. Je rencontrai Jouvet en plein exode, à Aix-en-Provence ; j'étais encore soldat. Il m'offrit de partir à Genève avec sa troupe et Bérard, d'abord pour me sauver, puis pour essayer de filmer *L'Ecole des Femmes*. Après quelques jours de tournage, faute d'argent et de confiance, le producteur abandonna. C'était une expérience pour moi : il s'agissait de me promener avec ma caméra, Jouvet et ses acteurs pendant une représentation, avec la participation du public et sans essayer de faire une adaptation cinématographique de la pièce. Je voulais montrer l'acteur lorsqu'il quitte la scène et le suivre dans les coulisses pendant que le dialogue de la pièce continue ; je voulais profiter du jeu de lumière de la rampe et de derrière la rampe, mais sans chercher à montrer la technique du théâtre : je ne m'écartais jamais des personnages, même quand ils cessaient de jouer, puisqu'ils n'en continuent pas moins à vivre. Je n'ai guère tourné que le plan d'ouverture : une caméra traverse le théâtre, au-dessus de la tête des spectateurs, et Jouvet, assis sur cette caméra se maquille, se transforme, tout en restant inaperçu du public de la salle où la lumière s'éteint progressivement. Et, alors que la caméra traverse le rideau, elle se volatilise et Arnolphe seul reste sur scène. Ce premier plan fut le dernier. Trois ou quatre jours plus tard, je partis pour l'Amérique.

Je suis arrivé à Hollywood six mois après la démobilisation, fin 1941. J'ai traversé l'Amérique en voiture avec ma femme et mon fils, et je n'étais absolument pas attendu là-bas. Avec nos dernière ressources, à New York, nous avons acheté une voiture d'occasion, car, à trois, le voyage était meilleur marché que par le chemin de fer. Au bout de deux ou trois jours sur les grandes autostrades le paysage me semblait monotone. Plus tard, quand j'ai refait ce voyage, j'ai mieux perçu les différences de paysages d'une région à l'autre, mais là, tout me semblait pareil. A tel point qu'au bout de deux semaines de route — nous roulions très lentement — je demandai dans un « steakhouse » où l'on s'était arrêté pour déjeuner : « *Combien de kilomètres encore jusqu'à Hollywood ?* » Le garçon me répondit : « *Mais vous y êtes !* »

De 1941 à 1945, je suis resté chômeur ; je n'ai pas eu un seul film à faire. Evidemment j'ai pris contact avec des amis européens, plus ou moins absorbés par leur travail, et je pris contact, moi-même, grâce aux agents, avec les portes des studios qui s'ouvrent très, très lentement. L'attitude des Américains, envers les émigrés était cependant très accueillante : ils nous trouvaient intéressants parce qu'un peu exotiques, ils aimaient nous poser toutes sortes de questions. Maintenant cela change : il leur suffit d'une journée d'avion pour venir se rendre compte sur place.

Je dois dire que ces quatre années passèrent comme une seule, car, tous les trois jours, on me disait : « *Vous commencez un film* ». Un jour, un producteur que j'avais connu en Europe me téléphone : c'était Joe Pasternak qui allait faire *Sentimental Journey*, mais le metteur en scène n'était pas d'accord, ou malade, je ne sais plus : « *Max, ça y est ! Dans trois jours vous commencez un film avec Margaret O'Brien et Johny Jof... quelque chose. Restez chez vous ; je vous appelle dans quelques heures.* » J'attends encore aujourd'hui !

Un très bon agent, l'un des plus grands. Orzati, un vieil Italien attaché à la M.G.M., me connaissait bien parce qu'autrefois, en Allemagne, j'avais fait tourner sa femme, actrice hollandaise ; il s'est beaucoup occupé de moi, il voulait me « placer » comme on dit. Un jour, il me téléphone : « *J'ai parlé de vous à Arthur Freed* (c'est le producteur des films musicaux ; j'aime beaucoup ceux qu'il fait avec Minnelli). *Louis B. Mayer* (le président) *veut vous voir demain matin à 9 heures. Ce n'est qu'une visite de courtoisie. Le salaire est déjà fixé : je n'ai pas accepté pour moins de telle somme* (il me cite un chiffre fabuleux : on vivait dans une chambre et, pour cette somme, le lendemain on pouvait s'acheter un château). *Oui, ce sera une conversation de courtoisie. On a déjà un peu parlé de vous : il sait qui vous êtes. Vous n'aurez qu'à dire que vous êtes très content de travailler pour lui.* » Le lendemain matin, à 8h45, je pars du bureau d'Orzati, avec lui, dans une grande voiture, et on arrive au bureau de Mayer, au deuxième étage, je crois, Orzati me dit : « *Voilà la secrétaire de Louis B. Mayer. J'entre lui parler cinq mi-*

nutes d'abord. Attendez-moi un instant », et il entre. Cela ne dure réellement que cinq minutes, il ressort et me dit que M. Mayer n'a pas le temps, que le rendez-vous est remis à cet après-midi, et j'attends encore !

Ces quatre années ont passé comme cela, très vite, parce que l'espoir ne cesse jamais : chaque jour apporte sa chance, qui s'évanouit le lendemain au profit d'une nouvelle. Mes collègues européens, les acteurs et tout le monde, n'ont pas manqué de me manifester beaucoup d'amitié, de solidarité. Pour parler simplement, l'argent s'épuise très vite et on en a besoin lorsqu'on débarque ainsi, après une guerre : on fit en sorte que je n'en manquasse jamais. Il y a une espèce de caisse de secours, et, plus tard, quand j'ai gagné de l'argent, j'ai toujours donné à cette caisse un certain pourcentage pour ceux qui sont arrivés après moi.

Au bout de quatre ans de chômage, j'ai pu travailler grâce à un geste de camaraderie, un grand geste de *grande* camaraderie, de Robert Siodmak... Non, voilà que je m'embrouille dans la chronologie des événements ; j'ai d'abord collaboré avec Preston Sturges à un film tiré de « Colomba » : *Vendetta*. On n'aimait pas ce que je faisais, aussi cette collaboration s'arrêta au bout de quelques jours et je crois bien qu'il y eut, après moi, quatre metteurs en scène successifs pour diriger ce film. C'est après cet incident que je reçus un coup de téléphone de Robert Siodmak ; cela se passait juste à la fin de la guerre et il me dit : « *Si tu veux rentrer en Europe et trouver du travail, il faut que tu fasses au moins un film à Hollywood, sans*

quoi personne ne voudra te faire confiance. » A ce moment, Siodmak était très écouté, grâce à l'énorme succès de *The Killers* et il fit ce qu'il fallut pour qu'on me donnât une chance, chez Universal. Et c'est comme cela qu'en une semaine, je fus engagé pour tourner *The Exile* avec Douglas Fairbanks Jr. C'est un film produit par Douglas lui-même et que j'ai tourné avec une très grande liberté.

— *Cela se voit.*

— Vraiment ? Moi, je doutais beaucoup de ce film. Dès notre première rencontre, Douglas devint un grand ami. Il me disait que ce ne serait probablement pas le genre de film que l'on attendait de lui, mais que l'on allait bien s'amuser. On s'est en effet énormément amusé en tournant ce film, peut-être même un peu trop, parce qu'il m'arrivait très souvent de filmer des scènes sans savoir qui tire sur quoi, pourquoi on tire, pourquoi on tue... Bref, j'ai eu du mal à suivre, je crois que cela se sent dans le film, mais j'ai pris beaucoup de plaisir à faire travailler Fairbanks, parce qu'il incarnait dans le film un homme très détendu, plein de joie et d'une imagination très pure et très gaie.

— *C'est d'ailleurs le film où il rappelle le plus son père.*

— Vraiment ? Il a un véritable culte pour son père. Nous avons passé des week-ends chez lui à regarder les vieux films de son père et il me racontait toutes sortes de souvenirs. Je trouve qu'il est dommage que cette tradition du film d'aventures féeriques se soit perdue avec le parlant ; il y a plus d'aventure que de féerie dans les films de ce genre aujourd'hui.

199

— Vous vous êtes amusé également avec les décors : le chaland dans la campagne hollandaise, le moulin...

— Oui. Les décors de *L'Exilé* furent réalisés par un homme qui n'avait jamais fait de cinéma — je ne trouve pas son nom pour l'instant — et qui venait du théâtre. Très souvent, les experts lui disaient : « *Mais Monsieur, vos décors sont théâtraux !* » Et il répondait timidement — il était petit et tout pâle : « *Et alors, pourquoi pas ?* » Douglas voyait les choses de la même façon, et je crois que cela se sent dans les décors.

C'est en tournant ce film que j'ai commencé à aimer Hollywood. Je n'avais pas de préjugé envers Hollywood, mais, quand on ne travaille pas, on n'aime pas la ville ou le pays où l'on vit. Quand on travaille et que l'on travaille avec des gens que l'on aime, on trouve la ville, Rome, Hollywood, Berlin ou Paris, magnifique. Et tandis que je voyais les rushes tous les soirs, on commençait déjà à me parler d'un autre projet pour le même studio : c'était *Lettre d'une inconnue*.

C'est surtout grâce à un auteur que vous connaissez sûrement de nom, Howard Koch, qui était mon ami, que s'ouvrirent devant moi les portes du bureau de Bill Dozier, mari de Joan Fontaine et vice-président du studio, avec qui je parlai de ce projet. Pour que commence la véritable mise en chantier, il fallait l'accord suprême du président de la Compagnie, Bill Goetz, le vrai président, pas le vice-président. Ah ! la hiérarchie... Pour lui parler en toute tranquillité, je savais combien il était difficile d'obtenir un rendez-vous ; et il y a toujours le téléphone

pour interrompre les conversations. Mais il y avait un bain turc au studio et je me suis arrangé pour prendre un bain de vapeur en même temps que lui. Tout nu, sous les douches, je l'ai entrepris sur *Lettre d'une inconnue* ; je lui disais que j'étais le seul metteur en scène au monde à pouvoir faire ce film, et il me répondait simplement, en hochant la tête : « *Why not* », ce qui signifie « pourquoi pas ». Et voilà.

— Là encore vous avez été entièrement libre ?

— Absolument. Il existait déjà un script, mais j'ai obtenu de le refaire complètement, à mon idée, avec Howard Koch. Comme les chefs de studio étaient très inquiets, on fit une « preview » pour ce film. Connaissez-vous les « previews » ? Les spectateurs remplissent des cartes qui peuvent être décisives pour la sortie du film. La séance eut lieu à Pasadena, une ville proche de Hollywood ; nous étions terriblement impatients de connaître les résultats, aussi on s'est arrêté tout à côté du cinéma, sous une enseigne lumineuse qui se balançait devant un magasin de vêtements pour hommes. Enfin, on nous apporte le premier paquet de cartes. L'un de nous lit à haute voix. Une carte :

« Vous aimez le film ? : oui.

L'histoire est-elle bonne ? : oui ».

Une autre carte :

« Vous aimez le film ? : Pas du tout.

Le scénario vous paraît clair ? : Non. »

Le directeur du studio tirait les cartes l'une après l'autre. A chaque « oui » ou « non », son visage se relevait vers moi, satisfait ou mécontent, me prenant à témoin ou lourd de reproches. Ces cartes sont très détaillées, comme vous allez le voir :

« Comment trouvez-vous le film ? : Formidable.

L'histoire vous paraît-elle claire ? : Lumineuse.

Et la distribution ? : Brillante.

La musique ? : Très belle.

Quels changements de distribution proposez-vous ? : Tout est parfait.

Que pensez-vous du problème exposé ? : Merveilleux.

Pouvez-vous vous identifier aux personnages ? : Absolument.

Allez-vous recommander ce film à vos amis ? : Certainement.

Sexe ? : Masculin.

Age ? : 9 ans » !...

Ce fut une très heureuse production : j'en ai eu la preuve récemment encore. Il y a quinze jours, Bill Dozier, qui n'était pas venu en Europe depuis très longtemps, est arrivé à Paris et m'a téléphoné ici. Comme tous les Américains de passage, il était au lit, victime de la trop bonne nourriture, et il n'est pas sorti de son hôtel. Il m'a raconté que le film faisait une nouvelle carrière à la télévision ; à sa sortie en Amérique, sa carrière avait été assez faible : je tremblais que les producteurs — qui étaient devenus vraiment des amis — ne rentrent jamais dans leur argent. Mais les recettes en Europe ont été très bonnes et maintenant, c'est l'un des films préférés de la télévision américaine. C'est un phénomène très intéressant : certains films, trop intimes, échouent lors de leur exploitation et marchent très bien à la télévision.

—Il en est exactement de même pour certains films américains de Jean Renoir : L'Homme du Sud et Le Journal d'une femme de chambre.

— Très bon film, *Le Journal d'une femme de chambre.* Formidable.

— *Ils font maintenant une très belle carrière à la télévision.*

— Les gens qui entrent dans une salle de cinéma sont encore préoccupés par leur voiture qu'ils viennent de garer après avoir tourné dix fois autour du cinéma, ou bien ils sortent de leur bureau, encore soucieux, et l'agitation de la rue les poursuit et se prolonge, avant le film, dans les actualités ; il se peut donc qu'ils ne soient pas assez détendus pour voir un film qui demande au spectateur de se concentrer, tandis que chez soi, dans un fauteuil, après dîner, la chambre plongée dans l'ombre, on peut apporter cette concentration, on devient complice du film. Cela devrait nous faire envisager l'avenir de la télévision avec beaucoup d'optimisme.

— *Puis vous avez quitté la Universal ?*

— Oui. Ensuite j'ai travaillé pour la M.G.M. J'ai tourné *Caught*, que j'aime assez. Mais j'ai eu des difficultés avec la production au sujet du script et le film déraille vers la fin ; oui, cette fin est vraiment presque impossible, mais jusqu'aux dix dernières minutes, ce n'est pas mal.

J'ai reçu hier une lettre de James Mason qui m'écrit qu'il a revu le film à la T.V. et qu'il trouve tout parfait sauf lui, sauf son jeu. Il produit un film en ce moment que met en scène un grand ami à moi, Nick Ray, qui fut découvert par John Houseman. Mason voudrait faire un film en France ; je lui ai conseillé Becker comme metteur en scène. Mason me dit qu'il tournera en France à condition que le travail avec lui soit très rapide, qu'il soit payé très cher, et il précise : « *payé veut dire toucher de l'argent et non participer, par mon salaire, au financement du film, si toutefois il existe en Europe une compagnie que tu n'as pas ruinée et qui soit assez riche pour me verser la somme exorbitante que je demanderai.* »

— *Avec* La Ronde *vous renouiez avec l'un de vos auteurs favoris ?*

— Oui, et il y a une très jolie chose dans la vie de Schnitzler : il a écrit « La Ronde » à 23 ans et « Liebelei » à 40, et on croirait le contraire. Mais quand on connaît bien son œuvre, on comprend : « La Ronde » s'oppose à l'amour et son cynisme n'est pas le fruit d'une expérience vécue, tandis qu'à 40 ou 45 ans, Schnitzler a la nostalgie de la pureté et c'est pour cela que dans « Liebelei », la pureté est vraie, parce qu'elle est vécue. S'il avait écrit « Liebelei » à 23 ans, il se serait laissé aller à une mélancolie beaucoup trop romantique, tandis qu'à 40 ans il a pu voir son sujet avec la distance nécessaire. C'est pour cela que je trouve que « La Ronde », malgré son cynisme de la vingt-troisième année, a une pureté, une fraîcheur splendides. C'est une pièce qu'il a écrite en défendant de la jouer : elle était dédiée à la lecture.

— *Mais on l'a tout de même jouée ?*

— Oui, plus tard. On la joue maintenant en Amérique : grâce au film, la pièce a trouvé audience. Elle est faite uniquement d'une suite de scènes : il n'y a pas de meneur de jeu. Ce personnage, c'est de ma fabrication cinématographique.

— *Lorsque* Lola Montès *est sorti, tout le monde a été surpris, mais vous-même n'avez-vous pas été surpris par votre film, ou même par la surprise générale ?*

— Voilà, je vais vous dire exactement ! J'ai été surpris d'être pris pour un révolutionnaire ou un rénovateur, parce que je croyais que tout ce que j'avais fait était la chose la plus normale du monde ; je vous assure, il n'y a pas une seule recherche dans *Lola Montès*, parce que j'ai été véritablement emporté par le sujet, et aujourd'hui encore... Je puis vous assurer que, lorsque je voyais les rushes et que les gens de la projection me disaient : « *Ce bleu ! Ce rouge ! C'est trop osé !* », je ne m'en rendais pas compte. Tout ce qu'il y a de bien dans *Lola* m'est peut-être arrivé à cause de mon inexpérience de la couleur et du cinémascope : quand je regardais dans le viseur de la caméra, c'était comme si j'étais né la veille ; je faisais tout tel que cela se présentait devant moi. Il y a une chose qui m'a fait très peur : les enchaînés. J'avais commis une faute que j'ai tenté de corriger ; quand vous dites : « *Ici, enchaîné* », vous devriez savoir ce que cela va donner comme couleurs. Lorsqu'on enchaîne un ciel bleu sur une table jaune, il y a un moment où les couleurs se mélangent et il faut tenir compte de cet élément, sous peine d'avoir de grosses surprises. Tout en faisant le film, j'ai compris : alors j'ai amené les scènes à une couleur finale et commencé la suivante avec la même couleur ; mais on ne peut pas toujours le faire à volonté. L'enchaîné est un moment impressionniste, et l'on peut obtenir des choses extraordinaires si on l'a compris et si l'on pense l'enchaîné en même temps que la scène.

Savez-vous que c'est le premier film qui me vaut tant de lettres, surtout de jeunes spectateurs ? Anne Vernon m'a bien fait plaisir aussi en me téléphonant qu'elle avait bavardé au Festival du Cirque avec une écuyère « haute école » et un dresseur de chevaux qui lui avaient longuement parlé du cirque de *Lola*, et dit qu'ils le trouvaient épatant, tout à fait conforme au cirque rêvé dans leur enfance, ils n'ont pas dit : « *Cela n'existe pas, on ne fait pas cela dans un cirque.* » J'étais très content.

Lola Montès a fait naître en moi le désir de raconter des histoires en les domptant. Même si je suis coupable, la route où je me trouve me plaît tellement que je voudrais continuer à tout prix ; mais on va se méfier. Personne ne va me confier un deuxième film de ce genre. Je dois faire maintenant un film très sage, et puis un autre... moins sage. D'ailleurs, en ce moment, je dis aux producteurs : « *Je vous conseille de faire mon prochain film, mais pas le suivant !* »

J'ai vu hier la version anglaise de *Lola* qu'on a essayé de terminer derrière mon dos, pendant que j'étais en vacances en Allemagne. L'attitude du directeur général de Gamma Films me semblait déjà très suspecte, parce qu'il me téléphonait tout le temps en me disant : « *Reposez-vous bien, je vous prie, reposez-vous bien !* » J'ai vu les coupures, c'est incroyable, à croire que les gens qui font ça non seulement manquent de respect envers ce que vous avez fait, mais ne savent même pas lire.

Tournage de Lola Montès

Dans la grande époque du théâtre en Europe Centrale, pour devenir directeur de théâtre, avoir le droit d'engager des artistes et être propriétaire d'une entreprise théâtrale, on était forcé d'être accepté par les auteurs et les acteurs qui vous donnaient alors ce qu'on appelait une « concession artistique ». Ainsi fut éliminé le propriétaire de théâtre qui n'était qu'homme d'affaires. La maison de production de *Lola* n'a pas *voulu* ce film, n'a jamais *connu* ce film.

— *N'était-ce pas déjà le même cas pour* Le Plaisir ?

— Un peu, mais s'ils ont eu du mal à financer le film, ils l'ont soutenu après, beaucoup. Tandis que ceux de *Lola* n'ont aucune intimité avec le film, ont été surpris par lui. Il me semble que, malgré qu'il ait une carrière très dure en France, il va lentement récupérer son argent. Il y a des résultats très étonnants en Allemagne : cinquième semaine à Berlin. Il pourrait marcher en Angleterre si on a la chance qu'il ne soit pas distribué par une petite maison, parce que les petites maisons anglaises font leurs bénéfices avec les films français un peu cochons. En Allemagne, il bénéficie aussi d'une détaxation spéciale pour sa valeur artistique.

— *Est-ce que le* « ça ne va pas » *du* Roi de Bavière *sur la scène du théâtre vient d'une mauvaise prise ?*

— Pas exactement. Pendant la première répétition, alors que je lui avais dit de traverser ce morceau de décor, il a eu une hésitation naturelle ; je lui ai dit qu'il se faisait vieux, mais qu'on pouvait garder ce jeu de scène, parce qu'il était normal de la part d'un roi.

— *Et l'acteur qui joue le rôle du peintre, n'était-il pas déjà dans* Liebelei ?

— Si. Nous étions jeunes à l'époque... Tout le temps se posait le problème des femmes : se marier, ne pas se marier, se séparer, ne pas se séparer. Pendant *Liebelei*, il vivait avec une femme peintre qui lui faisait des scènes et il me dit : « *Je traverse une crise. Je voudrais vivre seul, mais c'est très difficile.* » Je lui demandais pourquoi il ne la quittait pas ; il me dit : « *Une des raisons, c'est que le matin, quand je me lève, je ne sais pas qui m'apporterait ma tasse de cacao.* » Et le temps passe. Il se marie pour la huitième fois, mais moi je n'avais pas beaucoup de nouvelles de lui. Arrive l'émigration, France, guerre, Amérique. Pendant la guerre quelqu'un arrive d'Allemagne, vient me voir chez moi et me dit : « *Je dois te donner les meilleures pensées de Bernard. Il te fait dire qu'en ce moment il n'a même plus de cacao !* »

J'avais connu aussi le « médecin des oreilles ». Il a 83 ans maintenant ; c'est un ancien jeune premier de théâtre : comme spectateur, je l'ai beaucoup admiré et je ne pensais pas travailler un jour avec lui. Il vit maintenant à Munich. Comme il aime beaucoup le vin, pour lui faire jouer sa scène, le faire se déplacer dans le décor, on avait caché partout des verres de vin. C'est pour cela qu'on le voit boire au milieu de la scène, quand il parle de Mozart ; pour qu'il se souvienne qu'il fallait aller là, on avait mis un verre à cet endroit. Après le tournage, je lui demandai si le vin était bon : « *Je ne pourrai pas le dire ce soir, parce que j'ai trop bu.* »

— *Beaucoup de gens, à propos de* Lola

Montès, *ont parlé de « baroque ». Ce mot vous a-t-il étonné ?*

— Le mot « baroque » signifie pour moi une période d'architecture, et j'ai du mal à dire quand elle commence ou quand elle se termine. Je sais très bien que j'ai dit quelque fois : *« Ça, c'est Renaissance »*, et on m'a répondu : *« Mais non, mais non, c'est Baroque ! »* Et quand j'ai dit : *« Il me semble que voilà du Baroque »*, on m'a répondu : *« Mais non, c'est Empire ! »* Je crois que le mot lui-même a subi une transformation chez les gens qui l'utilisent aujourd'hui. Je ne sais pas ce qu'ils veulent dire exactement quand ils l'emploient. Est-ce qu'ils veulent dire « voluptueux » par exemple ? Je connais bien des églises en Autriche dont on m'a dit qu'elles étaient baroques ; ce baroque-là, je le trouve charmant, il a des reflets de soleil, il est vraiment musical et il donne une certaine dignité au cadre. Mais je ne sais pas ce que l'on veut dire exactement lorsqu'on l'utilise pour les films : je comprendrais qu'on l'emploie pour certaines parties à l'intérieur d'un film, qui correspondraient à ce que je viens de vous dire. Mais pour le reste… je ne sais pas pourquoi on l'emploie. Le savez-vous ?

— *Peut-être parce qu'on l'emploie dans un sens très large, dans le sens où le baroque serait une alliance de la légèreté et de la gravité, comme on dirait par exemple de Mozart qu'il est un musicien baroque.*

— Dans ce cas-là, ce serait évidemment un compliment… un compliment qui me fait même un peu peur !

— *Certains critiques vous reprochent votre intérieur d'église normande dans* Le Plaisir.

— C'est très drôle. D'Eaubonne a fait une première série de croquis ; c'est un homme que j'adore et que j'admire énormément, malgré son caractère terrible. Il me les apporte donc et je lui dis : *« Mais écoutez, vous vous trompez ; ça c'est une église qui pourrait être en Autriche ! »* Il me dit : *« Pourtant mon église est composée d'une église qui se trouve en Espagne, dans le village de X…, à proximité de la frontière française, et d'une église normande. »* Cela lève mes dernières hésitations, parce que je trouvais que ces croquis étaient parfaits pour ce qui allait se passer dans l'église du *Plaisir* : là, vous avez raison, le grave côtoie le léger. Je lui dis d'accord. Et nous tournons. Et puis je suis allé chercher les extérieurs en Normandie, car j'ai tourné les paysages en Normandie ; j'ai lu quelquefois : *« Pourquoi a-t-il tourné ce film au Tyrol ! »*… On trouve l'endroit voulu et là il y a une église : on ouvre la porte et, à l'intérieur, elle était aux trois-quarts comme celle du film, parce que naturellement, comme cela s'est produit souvent, les architectes des églises voyageaient et prenaient des idées à droite ou à gauche.

— *Vous n'avez pas précisé à d'Eaubonne le style que vous désiriez ?*

— Non, je ne demande jamais un style X…, réaliste. Je raconte l'histoire, l'atmosphère de la scène, et d'Eaubonne fait ses compositions à son idée ; je travaille très, très bien avec lui, parce qu'il comprend.

— *Mais vous aviez peut-être déjà l'idée des anges avant que ne soient faites les maquettes ?*

— Les anges ? Ah, oui !…

205

— Préférez-vous travailler en studio ou en extérieurs ?

— Je ne me rends pas compte. L'extérieur serait peut-être mieux si on pouvait soumettre le temps à l'écriture comme le peintre soumet le paysage à son écriture, si, lorsque je tourne une histoire, le paysage, le temps, l'air me faisaient la grâce de s'appliquer à cette histoire. Puisque c'est rarement le cas, je ne cherche pas tellement à tourner en extérieurs. Mais il n'y a rien d'aussi beau, que d'être surpris par la gentillesse de la nature : j'ai eu par exemple un coup de chance inouï dans *Le Plaisir...*

— Pour la plage ?

— Oui. Si tous les extérieurs étaient aussi obéissants, ce serait magnifique.

— Nous vous avons posé cette question parce que certains de vos films sont tournés entièrement en studio, comme La Ronde *par exemple.*

— Oui, naturellement. Pour *La Ronde* j'avais d'ailleurs tourné un plan en extérieurs, mais je l'ai coupé. C'était pendant l'épisode du poète avec l'actrice : ils passent une nuit dans un hôtel et le meneur de jeu qui les y a conduits en traîneau attend dans le froid, les pieds gelés.

La vérité, pour moi, c'est que je ne crois pas à l'adaptation cinématographique qui essaie de briser une action par l'alternance intérieurs-extérieurs, comme c'est l'habitude, et qu'au lieu de faire dire par un personnage : « *Je suis un peu en retard à cause d'un taxi qui n'avançait pas* », il faille montrer le taxi qui n'avance pas. Je ne crois pas à cela. Je crois à l'extérieur tant qu'il fait unité avec le reste, ou bien tant qu'il est un choc dra-

matique : il faut l'utiliser comme une couleur dramatique et non au hasard du réalisme.

— Cet extérieur-choc, nous le trouvons par exemple dans La Maison Tellier *?*

— Oui, voilà. L'extérieur-choc peut être extrêmement intéressant.

— A propos de Schnitzler tout à l'heure, vous insistiez sur la pureté. On retrouve très souvent ce sentiment de la pureté dans vos films. Le Plaisir *justement, ou* Lettre d'une inconnue.

— Je ne peux pas vous expliquer complètement tout ce que je vous dis. Quand à première vue le thème de la pureté ne se trouve pas dans un sujet, il se peut que le sujet se développe vers cette même conclusion, conclusion qui n'a pas d'explication, dont l'explication n'est certainement pas dans la vie...

J'ai téléphoné à Louise de Vilmorin pour lui demander si elle n'avait pas un sujet ; elle m'a envoyé son dernier roman avec une très jolie dédicace : « Histoire d'aimer ». Vous l'avez lu ?

— Oui.

— Voilà encore un exemple. Il est peut-être dangereux de vouloir se juger, mais je suis sûr de ne pas être un moraliste ; peut-être qu'on cherche toujours cette beauté de la pureté, même sans le savoir : c'est la plus jolie qu'on puisse trouver. Et il y a cela, dans ce roman.

— Il nous semble difficile à adapter.

— Non, non facile ! Si je le fais, vous allez voir. Très facile !

— « Histoire d'aimer » a l'air d'être le roman le plus léger de Louise de Vilmorin, mais en réalité c'est le plus grave.

— Exactement. Quelqu'un m'a dit :

« *Ecoutez, je ne comprends pas ; ce roman est d'une banalité effarante* », mais nous avons là, encore une fois la même chose que dans *Lola Montès* : la profondeur se cache derrière la banalité. Elle a écrit ce livre avec un courage incroyable, parce que, à première vue, ce n'est vraiment que deux femmes qui parlent, avec en arrière-plan la mort, qui est si proche de l'amour : les deux se touchent, il n'y a rien à faire. Un jour je pourrai peut-être faire « Tristan et Yseult »... Mais là, ce jeune homme qui vit sur un tombeau ou la volte-face de la fin, tout est d'une force extraordinaire. J'ai beaucoup de mal maintenant à trouver un sujet, parce que je me rends compte que ma réponse à certains reproches industriels devrait être de tourner un film bon marché. Le sujet d'« Histoire d'aimer » pourrait m'être d'un grand secours.

Et puis, il faut que je vous dise : j'ai enfin lu « Le Lys dans la vallée ». Il y a là une complexité dans la vie sentimentale de l'homme qui me plaît beaucoup : c'est assez souvent proche de Musset dans la mélancolie, c'est différent du Balzac que je connaissais. J'aime beaucoup ce roman, et je ne peux pas dire pourquoi ; il m'arrive la même chose qu'avec Schnitzler par exemple : je *vois* chaque chose, c'est tout. Je la vois tout de suite, et pas de deux manières différentes : je la vois comme cela devrait être. Et cela, c'est un sentiment terriblement rare quand on lit un livre. On peut le comprendre, on peut suivre l'histoire, mais on ne la voit pas. Et là, c'est comme si Balzac était déjà le metteur en scène : il dicte les images avec une netteté optique tout à fait

surprenante ; il n'y a pas à discuter. Malheureusement, personne ne voudra me laisser faire ce film pour l'instant parce qu'il coûterait trop cher.

— *Vous le feriez pourtant en Touraine, en extérieurs réels, avec peu de personnages ?*

— Oui, mais quelle Touraine ? Il faudrait attendre qu'elle se prête exactement à cette histoire, il faudrait attendre que le ciel ait la couleur voulue. Et le monde dans lequel se passe l'histoire est d'un luxe !... Il n'y a rien à faire. On ne peut pas non plus supprimer la jeunesse de Félix : je crois qu'elle est absolument nécessaire. Il faut la montrer ; et là, les psychanalystes pourront toujours venir prendre des leçons.

Je lis ce roman en allemand, je dois avouer, parce qu'en français, un mot ou l'autre peut toujours encore m'échapper ; il y a des mots difficiles quelquefois : je lis et à la fin de la page je crois avoir compris, mais je risque bien souvent de ne pas sentir la beauté d'un mot, tandis qu'en allemand je suis sûr que rien ne m'échappe. Ainsi quand je lis que Félix voit les châteaux, les tours et qu'il se demande partout si elle vit ou non dans cette tour-là, et qu'il la découvre pour la première fois, je sais que c'est un plan fait de loin, de très, très loin, qu'il la découvre derrière un grillage de branches dans une robe très blanche.

— *Vous voyez déjà les cadrages ?*

— Oui, c'est écrit comme cela.

— *Mais pour la rencontre...*

— L'épaule ? C'est incroyable ! C'est d'une force sensuelle irrésistible.

— *Oui, mais comment faire pour que les gens n'éclatent pas de rire ?*

207

— Je vais vous dire une chose terrible :﹍ s'ils éclatent, tant pis ! Non, c'est peut-être faux ; si on ne s'en occupe pas, on a peut-être une chance qu'ils n'éclatent pas. Mais si on s'en occupe trop, on a surtout une chance de rater.

Vraiment, depuis des années, il ne m'était pas arrivé de lire quelque chose d'aussi excitant. Chaque film que je fais pour le moment à la place de celui-là lui sera inférieur, et je ne ferai probablement jamais celui-là ! Dans ce roman, il y a un dosage du détail réaliste qui est splendide, musical ; quand Balzac parle de politique, de Napoléon, etc... le réalisme remplit alors son vrai rôle : il dérange et il ralentit le sentiment dramatique, vous en avez besoin pour concentrer les forces, pour arriver au cœur ; il est présent, il est entre cette envie de toucher les nerfs dramatiques et votre émotion : il est là, et il ralentit, c'est son seul rôle dramatique et c'est splendide. Quand on ose s'en servir ainsi, on arrive à une maîtrise incroyable : c'est comme dans une symphonie, lorsqu'on le met entre la vérité des sentiments et la vérité de la vie. C'est incroyable, ce jeu là... D'une force !

J'aime Balzac depuis très longtemps. Déjà quand j'avais lu « La Duchesse de Langeais », j'aimais beaucoup qu'il fasse subir aux gens la pression des événements politiques : ses personnages sont toujours splendides d'indécision. Lorsqu'ils sont précipités comme cela d'un côté ou de l'autre, ils nous font toujours l'effet d'être de pauvres victimes : c'est une époque de l'histoire de France, que l'on vit peut-être à Prague en ce moment, cette époque napoléonienne : va-t-il revenir, ne va-t-il

pas revenir ?... Chez Balzac, les hommes font très souvent moins bonne figure que les femmes face aux événements politiques ; les femmes ont encore une conviction parce qu'elles ne sont probablement pas liées d'assez près à la politique : elles ont le courage de se forger une opinion. Tandis que les hommes sont opportunistes.

— *A propos du « Lys dans la vallée », vous évoquiez Musset. N'allez-vous pas mettre en scène des comédies de Musset en Allemagne ?*

— Oui, je vais commencer très bientôt. J'ai un penchant secret : la radio. J'aime beaucoup les pièces radiophoniques ; tout ce qu'on ne peut pas faire au théâtre ou au cinéma. Je vais essayer de le faire à la radio. J'ai écrit une mise en ondes, il y a deux ans, à Baden-Baden ; j'ai fait aussi une adaptation d'un ouvrage de Gœthe qui s'appelle « La Nouvelle » : c'est une très belle chose. Maintenant, je travaille sur un petit roman d'un de mes auteurs préférés, Schnitzler encore. Je n'ai pas encore trouvé de producteur pour en faire un film : je pensais pouvoir le faire en Allemagne.

Je vais traduire aussi en allemand plusieurs pièces de Musset. J'ai découvert qu'il y a un trou dans l'échange de culture théâtrale : en Allemagne on ne connaît pas Musset, on ne le joue jamais et je crois que si je pouvais le faire accepter dans le répertoire des théâtres allemands, même si mon travail est très modeste, il sera connu et on le jouera très, très souvent, parce que Musset est très proche de Büchner ; j'ai toujours dit qu'avec « Léonce et Léna » et « Fantasio », c'était comme si l'on entendait de l'autre côté du Rhin les cloches d'une église d'Alsace : il y a une séparation entre les deux, mais elle est minime.

Je crois aussi que Mozart, par exemple, est idéal pour la télévision ; par quelques-uns de ses thèmes, il touche parfois à l'irréel, dans « L'Enlèvement au sérail » ou dans « Cosi Fan Tutte ». C'est une des rares occasions dans lesquelles l'expression restreinte d'un écran comme celui de la télévision pourrait avoir un effet artistique ; l'instrumentation, si fine, est également en accord avec la télévision.

— *Vous avez eu un certain temps le projet de faire un film non pas d'après « Don Juan », mais autour de « Don Juan » ?*

— Oui, j'ai écrit cette histoire ; je suis allé jusqu'au découpage avec Peter Ustinov : ce n'est pas moi qui l'ai abandonné, ce sont les autres. C'était l'histoire d'un chanteur d'opéra qui chante « Don Juan » à Salzbourg et qui dans la vie a les mêmes aventures que Don Juan. Ce devait être une production anglaise.

Puisque nous parlons de musique, il y a une semaine, j'ai rencontré une personne et je lui ai dit qu'il serait intéressant que l'Europe d'aujourd'hui contribuât à sa façon au film musical, à l'exemple des films américains que j'aime beaucoup. Il me demande avec quoi ? Je lui réponds : n'importe quoi d'Offenbach : ça c'est vraiment la musique de ma vie. Cette personne me dit : « *Mais Offenbach n'est pas français !* » N'est-ce pas monstrueux ?

Il y a un article que j'ai lu... Mais où est-ce ? Un article de Hitchcock sur le public des frigidaires... C'est un très bon article. Il y a une chose vraiment incroya-ble, c'est que le public n'existe pratique-ment plus. Il y a une masse de consommateurs, c'est tout. Le danger, c'est qu'on voit trop de films : c'est un danger auquel j'échappe, parce que j'ai trouvé une nouvelle excuse pour ne pas aller très souvent au cinéma ; s'il s'agit du film d'un metteur en scène que l'on admire vraiment, profondément, on peut s'imaginer le film : quand vous connaissez bien l'écriture d'un grand metteur en scène, vous n'avez pour ainsi dire plus besoin de voir le film, tellement vous pouvez bien vous l'imaginer. Quant aux autres qui travaillent très mal, vous pouvez aussi bien imaginer leurs films.

Mais souvent, les gens voient trop de films. En Amérique, on commence à 12 ans, on en voit jusqu'à 20 ans et on devient alors un consommateur. Les consommateurs voient un film comme ils ont une cigarette à la bouche : ils ne savent plus s'ils fument, ils la gardent en parlant.

Il y a quelques jours, j'ai vu *Si tous les gars du monde* : vers la fin, le bateau rentre au port, le bateau sur lequel toute l'histoire s'est déroulée. Dans le port, les gens attendent, voient le bateau, l'acclament ; la musique monte, et le public se lève, n'attend pas le dernier plan : voilà la preuve que ce sont des consommateurs. Pour n'importe lequel de mes confrères à qui cela arrive, c'est la débâcle, la chute, la mort pour son métier. Entrez dans un concert, même monsieur Beethoven fait dix fois pam, pam, pam-pam... pam, pam, pam, pam, pam, paam, paaam... Personne ne se lève. Tandis que les consommateurs, je me mêle à eux, et j'écoute : eh bien, je m'aperçois que vous faites votre métier pour rien, parce qu'ils le font beaucoup mieux et beaucoup plus vite surtout ! Cela commence à la première marche de l'escalier : « *Eh bien, au milieu de cette histoire, tu sais au moment où... alors moi, j'ai cru que... et l'autre...* » Et ils commencent à décomposer ce qu'ils ont vu. Ce ne sont plus des individus prêts à recevoir, ce ne sont que des gens qui viennent et consomment, et détruisent ce qu'ils viennent de consommer. Comme cela va vite ! De leur fauteuil à la porte en bas, ils ont discuté de tout, tout est fini. Ils n'en reparlent plus jamais.

Avec cette production en masse, en masse et en masse de drames, avec les gens qui en voient chaque mois six ou huit en consommateurs, il n'est pas possible qu'un film véritablement « dynamique » plaise. C'est comme pour les journaux : ils ne peuvent pas publier de poèmes ; et les gens lisent les journaux, et trois ou quatre par jour...

Jamais de ma vie, je n'oublierai cette foule qui se lève : ce n'est pas parce que le film ne les a pas pris, au contraire. Mais ils n'ont plus aucune patience esthétique.

(Propos recueillis au magnétophone par Jacques Rivette et François Truffaut.)
Cahiers du cinéma n° 72, Juin 1957

Martine Carol et Max Ophuls (tournage de *Lola Montès*)

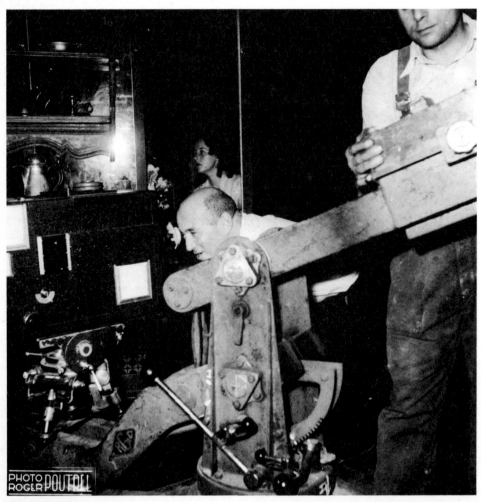

Tournage du *Plaisir*

BIO-FILMOGRAPHIE

6 mai 1902
Max Oppenheimer naît à Sarrebrück.

1919
Après avoir choisi sur les conseils de Fritz Holl le pseudonyme d'Ophuls, le jeune Max débute comme acteur au théâtre de Sarrebrück.

1920-1922
Rôles à Stuttgart et Aix-la-Chapelle.

1920-1925
Mises en scène à Dortmund et Elberfeld - Barmen. Ophuls est engagé par le Burgtheater de Vienne. Il met en scène « 2 x 2 = 5 », de Gustav Wied (huits représentations, du 2 octobre au 22 novembre) ; « Der Vulkan » de Ludwig Fulda (quinze représentations du 24 octobre au 2 décembre, Ophuls réalise aussi les décors), « Erfüllung » de George Terramare (quatre représentations du 25 novembre au premier décembre) ; il joue dans « César et Cléopatre » de George Bernard Shaw[1]. Une formule d'un critique de *Der Tag* suffit à résumer l'ensemble des réactions de la presse : « *Ophuls exige beaucoup de choses et peut en réaliser un bon nombre* »[2]

1926
Ophuls met en scène « Maria Orlowa », d'Otto Zoff, au Burgtheater de Vienne (deux représentations les 4 et 7 février 1926). Les critiques sont cette fois désastreuses. « *Comme acteur et metteur en scène, Ophuls se montre totalement inexistant* »[3], écrit le critique Alfred Polgar.
Le 12 juillet, Max Ophuls épouse Hilde Wall, une actrice du Burgtheater,

1927-1929
Mises en scène à Francfort et Breslau, dont « Anatole » (Arthur Schnitzler), « Comme il vous plaira » (Shakespeare), « Le Malade imaginaire » (Molière).

1930
Mises en scène à Berlin.
Assistant d'Anatole Litvak pour *Nie Wieder Liebe*[4].

---

1. Renseignements communiqués par le Dr. Gernot Heiss, de l'Université de Vienne.
2. Oskar Vendiener, *Der Tag*, 4 novembre 1925.
3. *Der Morgen*, 8 février 1926.
4. Voir Beylie, op. cit., p. 155.

DANN SCHON LEBER LEBETRAN

30 min. *Réal :* Max Ophuls. *Prod :* UFA. *Scén :* Erich Kästner avec la collaboration d'Emeric Pressburger et Max Ophuls. *Phot. :* Eugen Schufftan. *Interprétation :* Paul Kemp (Saint Michel), Heinz Günsdorf (Saint-Pierre), Käthe Haack (la maman), Hannelore Schroth (la fille).
Lassés d'ingurgiter leur ration quotidienne d'huile de foie de morue, des gamins adressent une prière au bon Dieu. Saint Pierre l'exhausse, et les enfants peuvent enfin commander aux adultes. Mais vite lassés de leurs nouvelles responsabilités, ils préfèrent retourner à l'ordre ancien.

1931

DIE VERLIEBTE FIRMA

72 min. *Réal. :* Max Ophuls. *Prod. :* D.L.S. *scén. :* Hubert Marischka et Fritz Zeckendorf avec la collaboration de Bruno Granischstädten et Max Ophuls. *Phot. :* Karl Puth. *Mus. :* Bruno Granichstädten, Grete Walter, Ernst Hauke. *Interprétation :* Gustav Frölich, Anny Ahlers, Hubert von Meyerinck, Leonhard Steckel, Ernst Verebes, Werner Finck, Lien Deyers, José Wedorn, Fritz Steiner, Hermann Krehan.
L'équipe d'un film parvient à convaincre une employée des postes de remplacer une vedette unanimement détestée. La jeune fille finit par convoler en justes noces avec un assistant.
Une farce militaire avec Heinz Ruhmann (film perdu). Quelques spectacles de cabaret. « Der Star », pièce d'Hermann Bahr, montée à Berlin (avec Käthe Dorsch), est interdite par les nazis.

1932

DIE VERKAUFTE BRAUT
(La Fiancée vendue).

72 min. *Réal. :* Max Ophuls. *Prod. :* Reichsliga-film. *Scén. :* Curt Alexander et Max Ophuls, d'après l'opéra comique de Smetana (livret de Karel Sabina). *Phot. :* Reimar Kuntze, Franz Koch, Herbert Illig et Otto Wirsching. *Musique :* Bedrich Smetana, adaptation de Théo Mackeben. *Décors et costumes :* Erwin Scharf. *Interprétation :* Jarmila Novotna *(Maria)*, Willy Domgraf-Fassbaender *(Hans)*, Max Nadler *(le maire)* Hermann Kner *(Micha)*, Maria Janowska *(la femme de Micha)*, Paul Kemp *(Wenzel)*, Otto Wernicke *(Kezal)*, Karl Valentin *(Brummer, directeur de cirque)*, Liesl Karlstadt *(La femme de Brummer)*, Annemie Soerensen *(Esmeralda)*, Kurt Horwitz *(Le chanteur)*, Thérèse Giehse *(la speakerine)*, Max Schreck *(l'indien)*, Ernst Ziegel, Karl Riedel, Richard Revy, Mary Weiss, Trude Haeflin, Dominik Loescher, Eduard Mathes-Roeckel, Max Duffek, Beppo Brem.

Maria doit être mariée à Wenzel, jeune homme un peu niais mais fils d'un riche fermier (Micha), alors que son cœur appartient à Hans, un garçon dont on ignore le passé. Un habile entremetteur (Kezal) persuade ce dernier de renoncer à Maria contre une somme d'argent et la promesse que la jeune fille n'épousera que le « fils de Micha ». Une troupe de comédiens ambulants pousse Wenzel à accepter les avances d'Esmeralda, une danseuse, mais lorsque Maria apprend que Hans l'a vendue, elle consent à épouser le « fils de Micha ». Arrivent le fermier et sa femme, qui reconnaissent en Hans leur fils disparu. Wenzel, costumé en ours, tourne la pièce en dérision.

A noter que le baryton Willy Domgraf-Fassbaender fut un des plus célèbre *Figaro* des années 30 (il chante le rôle dans l'enregistrement réalisé en 1934 à Glyndebourne sous la direction de Fritz Busch) et Jarmila Novotna une des cantatrices tchèques les plus renommées (elle fit une belle carrière au Metropolitan Opéra de New York).

DIE LACHENDEN ERBEN

75 min. *Réal.* : Max Ophuls. *Prod.* : UFA. *Scen.* : Trude Herka, Felix Joachimson et Max Ophuls. *Photo* : Eduard Hoesch. *Musique* : Clemens Schmalstich et Hans-Otto Borgmann. *Interprétation* : Heinz Rühmann, Peter Brand, Lien Deyers, Max Adalbert, Lizzi Waldmüller, Ida Wüst, Julius Falkenstein, Walter Jannsen, Friedrich Ettel.

Selon Claude Beylie, *« une sorte d'adaptation, sur le mode lourdaud de la comédie allemande, de "Roméo et Juliette"* [5]. *»*

LIEBELEI

90 min. *Réal.* : Max Ophuls. *Prod.* : UFA. *Scen.* : Curt Alexander, Hans Wilhelm et Max Ophuls d'après la pièce d'Arthur Schnitzler. *Photo* : Franz Planer. *Mus.* : Mozart (L'Enlèvement au sérail), Brahms (Bruderlei), Beethoven (Cinquième Symphonie), arrangements de Théo Mackeben. *Décors* : G. Pellon. *Interprétation* : Magda Schneider (*Christine Weiring*), Wolfgang Liebeneiner (*lieutenant Fritz Lobheimer*), Luise Ulrich (*Mizzi Schlager*), Willy Eichberger (*Théo Kaiser*), Gustaf Gründgens (*Baron Eggerdorff*), Olga Tchekowa (*Baronne Eggerdorff*), Paul Hörbiger (*Hans Weiring*), Werner Finck, Théo Lingen, Lotte Spira, Bruno Kastner, Walter Steinbeck.

Christine, fille d'un violoniste de modeste condition, tombe amoureuse de Fritz, lieutenant de la Garde impériale. Ce dernier a une liaison avec la baronne Eggerdorff. Malgré les conseils de son ami Théo, Fritz ne délaissera pas la baronne pour Christine, et se fera tuer en duel par le mari jaloux à l'insu de celle qui l'aime. Apprenant la vérité de la bouche de Théo, Christine se suicide en se jetant par la fenêtre.

5. id. p. 35.

1933

UNE HISTOIRE D'AMOUR
(Version française de *Liebelei*).

88 min. *Réal.* : Max Ophuls. *Prod.* : Alma-Sepic. *Dial.* : André Doderet. *Photo* :Ted Pahle (ne concerne que les scènes d'intérieur) *Montage* : Ralph Baum (également assistant et directeur de production). *Interprétation* : Magda Schneider, Wolfgang Liebeneiner, Gustaf Gründgens, Olga Tchekowa (rôles inchangés), Georges Rigaud (*Théo*), Simone Héliard (*Mizzi*), Abel Tarride, Georges Mauloy, André Dubosc, Pierre Stephen, Paul Otto.

1934

ON A VOLE UN HOMME

90 min. *Réal.* : Max Ophuls. *Prod.* : Fox-Film Europa. *Scen.* : René Pujol et Hans Wilhelm. *Photo* : René Guissart. *Décors* : Heilbronner. *Musique* : Bronislau Kapper et Walter Jurman. *Interprétation* : Henri Garat (*Jean de Lafaye*), Lili Damita (*Annette*), Fernand Fabre (*Robert*), Charles Fallot (*Victor*), Nina Myral, Pierre Labry, Robert Goupil, Raoul Marco. Lucien-Callamand, Pierre Piérade, Guy Rapp, André Siméon.

Un jeune banquier est séquestré par une belle inconnue dans une villa de la Côte d'Azur afin d'alimenter la rumeur boursière. Mais la geolière tombera amoureuse de son prisonnier.

LA SIGNORA DI TUTTI

95 min. *Réal.* : Max Ophuls. *Prod.* : Novella Films. *Scén.* : Curt Alexander, Hans Wilhelm et Max Ophuls d'après le roman de Salvador Gotta. *Photo* : Ubaldo Arata. *Décors* : Giuseppe Caponi. *Costumes* : Sandro Radice. *Son* : Giovanni Bittmann. *Mus.* : Daniele Amfitheatrof. *Montage* : Fernandino Poggioli. *Interprétation* : Isa Miranda (*Gaby Doriot*), Nelly Corradi (*Anna*), Memo Benassi (*Léonardo Nanni*), Tatiana Pawlova (*Alma Nanni*), Federico Benfer (*Roberto Nanni*), Franco Coop, Mario Ferrari, Lamberto Picasso, Vinicio Sofia, Attilio Ortolani, Alfredo Martinelli, Andréa Checchi, Elena Zareschi, Giulia Puccini, Achille Marjeroni, Luigi Barbieri, Inès Cristina Zacconi, Mattia Sassanelli.

Gaby Doriot, une célèbre actrice surnommée « la signora di Tutti » (la femme de tous), voit sa vie défiler dans sa mémoire après une tentative de suicide qui l'a conduite à l'hôpital. Suite aux exigences d'hommes veules ou inconscients, son existence ne consista qu'en une suite d'échecs sentimentaux. Particulièrement éprouvante fut l'aventure au cours de laquelle l'amie paralysée dont Gaby était l'aide-soignante s'était suicidée après avoir soupçonné une liaison entre la « signora di tutti » et son mari. La faiblesse de caractère de ce dernier conduit l'aventure à l'échec, et c'est abandonnée de tous que Gaby meurt sous le masque à chloroforme.

1935
DIVINE

90 min. *Réal.* : Max Ophuls. *Prod.* : Eden-Productions. *Scen.* : Colette d'après son roman « l'Envers du music-hall », Jean-George Auriol et Max Ophuls. *Photo* : Roger Hubert. *Décors* : Jacques Gotko et Hubert Gys. *Son* : Fred Behrens. *Montage* : Léonide Moguy. *Musique* : Albert Wolff. *Assistants à la réal.* : Ralph Baum et Pierre de Hérain. *Interprétation* : Simone Berriau *(Ludivine Jarisse dite « Divine »)*, Catherine Fonteney *(la mère de « Divine »)*, Yvette Lebon *(Roberte)*, Georges Rigaud *(Antonin, le laitier)*, Marcel Vallée *(le directeur du théâtre)*, Paul Azaïs *(Victor)*, Philippe Hériat, Gina Manès, Silvete Fillacier, Thérèse Dorny, Gabriello, Nane Germon, Jeanne Véniat, Pierre Juvenet, Jeanne Fusier-Gir, Roger Gaillard, Lucien Callaman, Tony Murcy, Floyd Dupont, Paul Luis, Claude Roussel, André Siméon, Marie-Jacqueline Chantal.

Une jeune paysanne découvre les dessous du music-hall parisien. Victime de mises en scène où on lui demande d'être une femme-objet, bientôt entraînée dans un trafic de drogue, elle préfèrera retourner tranquillement à une vie plus modeste en épousant un modeste laitier propriétaire de son entreprise.
Ophuls obtient la nationalité française.

1936

Deux courts métrages destinés à mettre en valeur un pianiste virtuose (Alexandre Brailowski) et une cantatrice de renom (Elisabeth Schumann) : *Valse brillante de Chopin* et *Ave Maria de Schubert* [6].

LA TENDRE ENNEMIE

69 min. *Réal.* : Max Ophuls. *Scen.* : Curt Alexander et Max Ophuls d'après la pièce d'André-Paul Antoine « L'Ennemie ». *Photo* : Eugen Schufftan. *Décors* : Jacques Gotko. *Musique* : Albert Wolff. *Son* : Archimbaud. *Montage* : Pierre de Hérain. *Assistant à la réal.* : Ralph Baum. *Interprétation* : Simone Berriau *(Annette Dupont)*, Catherine Fonteney *(Mme Dupont)*, Georges Vitray *(Mr Dupont)*, Marc Valbel *(Rodrigo)*, Jacqueline Daix *(Line)*, Maurice Devienne, Lucien Nat, Pierre Finaly, Germaine Reuver, Laura Diana, Camille Bert, Roger Legris, André Siméon, Henri Marchand, Janine Darcey, Liliane Lesaffre.

Observant de l'au-delà l'« ennemie » commune (Annette) qui les a enterrés tour à tour, un mari et deux amants réussissent à intervenir pour protéger la fille de celle-ci d'un mariage bourgeoisement « arrangé ». Ils réussissent.

KOMEDIE VON GELD

81 min. *Réal.* : Max Ophuls. *Prod.* : Cinetone Productie (Hollande). *Scénario* : Walter Schlee, Alex de Haas et Max

Ophuls. *Photo* : Eugen Schufftan et Fritz Meyer. *Décors* : Heinz Fenschel et Jan Wiegers. *Musique* : Max Tak. *Son* : I.J. Citroën. *Montage* : Noël van Ess et Gérard Bensdorp. *Interprétation* : Hermann Bouber, Pini Otte, Matthew van Eysden, Cor Ruys, Arend Sandhouse.

Les malheureuses tribulations d'un employé de banque qui a perdu cinquante mille florins dans une rue d'Amsterdam.

1937
YOSHIWARA

88 min. *Réal.* : Max Ophuls. *Prod.* : Milo-Films. *Scen.* : Maurice Dekobra d'après son propre roman, A. Lipp, Wolfgang Wilhelm, Jacques Companeez, Max Ophuls. *Photo* : Eugen Schufftan. *Décors* : André et Léon Barsacq. *Musique* : Paul Dessau. *Son* : Sauvion. *Montage* : Pierre Méguérian. *Assistant à la réal.* : Ralph Baum. *Interprétation* : Pierre-Richard Willm *(Serge Polenoff)*, Michiko Tanaka *(Kohana)*, Fou-Sen *(La sœur de Kohana)*, Sessue Hayakawa *(Isamo)*, Roland Toutain *(Pawlik)*, Camille Bert *(le commandant)*, Lucienne Lemarchand *(Namo)*, Gabriello *(Mr Pô)*, Léon Larive, Ky Duyen, Georges Paulais, Maurice Devienne, Philippe Richard, Martial Rèbe, Georges Saillard.

Contrainte à se prostituer pour sauver le patrimoine de sa famille, une jeune geisha connaît un amour tragique avec un lieutenant russe : un coolie jaloux provoque le drame dont sont victimes les deux amants.
Projet avorté : *Maria Tarnowska, femme fatale*, avec Kate de Nagy[7].

1938
WERTHER

95 min. *Réal.* : Max Ophuls. *Prod.* : Néro-Films. *Scén.* : Hans Wilhelm et Max Ophuls d'après le roman de Goethe. *Dialogue* : Fernand Cromelynck. *Photo* : Eugen Schufftan. *Décors* : Eugène Lourié et Max Douy. *Costume* : Annette Sarradin. *Musique* : Schubert, Haydn, Mozart, Gretry et Beethoven, arrangements de Paul Dessau. *Montage* : Jean Sacha et Gérard Bensdorp. *Assistant à la réal.* : Henri Aisner. *Interprétation* : Pierre-Richard Willm *(Werther)*, Annie Vernay *(Charlotte)*, Jean Périer *(le président)*, Jean Galland *(Albert Hochstätter)*, Paulette Pax *(Emma)*, Georges Vitray *(le bailli)*, Roger Legris *(Franz)* Jean Buquet *(Gustav)*, Génia Vaury *(une fille)*, Denise Kerny, Maurice Schutz, Léon Larive, Joseph Nossent, Philippe Richard, George Bever, Edmond Beauchamp, Henri Guisol, Léonce Corne, Henri Darbrey, Pierre Darteuil, Maurice Devienne, Martial Rèbe, Henri Beaulieu, Robert Rollis, Géo Ferny, Henri Herblay.

Jeune magistrat fraîchement nommé dans une petite ville allemande, Werther s'éprend de Charlotte, fille d'un des notables de la cité. Celle-ci est malheureusement fiancée à Albert, le supérieur de Werther. Le jeune homme ne peut supporter de devoir quitter la ville pour épargner le scandale à celle qu'il aime, et se suicide.

7. Pour la liste des projets (fort nombreux...) de Max Ophuls, voir Beylie op. cit. p. 175-178, qui tient ses renseignements de la secrétaire du cinéaste, Ulla de Colstoun.

6. id. p. 161.

1939
SANS LENDEMAIN

82 min. *Réal.* : Max Ophuls. *Prod.* : Ciné-Alliance et Inter-artistes films. *Scén.* : Hans Wilhelm, André-Paul Antoine, Hans Jacobi et Max Ophuls. *Photo* : Eugen Schufftan. *Décors* : Eugène Lourié. *Musique* : Allan Gray. *Son* : Pierre Calvet. *Montage* : Bernard Séjourné et Jean Sacha. *Assistant à la réal.* : Henri Aisner. *Interprétation* : Edwige Feuillère *(Evelyne Morin)*, Michel François *(Pierre)*, Georges Rigaud *(Georges Brandon)*, Paul Azaïs *(Henri)*, Daniel Lecourtois *(Armand)*, Georges Lannes *(Paul Mazuraud)*, Gabriello *(Mario)*, Pauline Carton *(Ernestine)*, Jane Marken *(Madame Michu)*, Mady Berry, Louis Florencie, Roger Forster, Roger Maxime, Yvonne Legeay.

Une ex-femme du monde devenue entraîneuse à la suite de la mort de son époux rencontre un de ses anciens amants. Ne pouvant supporter de lui révéler sa dégradante condition, elle préfère s'enfuir.

1940
DE MAYERLING A SARAJEVO

89 min. *Réal.* : Max Ophuls. *Prod.* : B.U.P. *Scen.* : Carl Zuckmayer, Curt Alexander, Marcelle Maurette, Jacques Natanson (dialogues), et Max Ophuls. *Photo* : Curt Courant et Otto Heller. *Décors* : Jean d'Eaubonne. *Costumes* : B. Balinsky. *Musique* : Oscar Straus. *Son* : Girardon et Yvonnet. *Montage* : Jean Oser (et Myriam). *Assistants à la réal.* : Jean-Paul Dreyfus et Jean Faurez. *Interprétation* : Edwige Feuillère *(Sophie Chotek)*, John Lodge *(François-Ferdinand)*, Gabrielle Dorziat *(Marie-Thérèse)*, Jean Worms *(François-Joseph)*, Marcel André *(Frédéric)*, Colette Régis *(Isabelle)*, Aimé Clarion, Aimos, Jean Debucourt, Jean-Paul Dreyfus, Henri Bosc, Gaston Dubosc, Jacques Roussel, Sylvain Itkine, Jacqueline Marsan, Henri Beaulieu, Edy Debray, Primerose Perret, Philippe Richard, Jean Buquet, William Aguet, Monique Clariond, Francine Claudel, Geneviève Morel.

Les amours tragiques de l'archiduc François-Ferdinand et de la comtesse Sophie Chotek, couple scandaleux au regard des règles de la cour de François-Joseph. En butte à l'hostilité de l'archiduchesse Marie-Thérèse et du Prince de Montenuovo, les deux amants finiront assassinés à Sarajevo le 28 juin 1914.

Projets avortés : *La grande traversée*, *L'Ecole des femmes* (avec la troupe de Louis Jouvet en tournée en Suisse).

Ophuls, à ses propres dires, entame la réalisation d'un film de propagande pour la Légion Etrangère. Une émission de la Radiodiffusion Française le montre sarcastique à l'égard d'Hitler.

Mise en scène d'« Heinrich VIII und seine sechste Frau » (Max Christian Feiller) au Schauspielhaus de Zurich.

1941

Projet avorté : *Roméo et Juliette au village*.
Ophuls met en scène « Roméo et Juliette » de

Shakespeare au théâtre de Zurich. Il quitte la France pour l'Amérique.

1942-1945

Années noires. Ophuls est au chômage.

1946

Ophuls entame le tournage de *Vendetta* (production Howard Hughes), puis est remplacé par Preston Sturges.

1947
THE EXILE (L'Exilé).

97 min. *Réal.* : Max Ophuls. *Prod.* : Fairbanks Company. *Scen.* : Douglas Fairbanks Jr. et Max Ophuls d'après le roman de Cosmo Hamilton « His Majesty, the King ». *Photo* : Franz Planer. *Décors* : Russel A. Gausman et Ted Offenbecker. *Musique* : Frank Skinner. *Son* : Charles Feldsteadt et William Heydock. *Montage* : Ted J. Kent. *Assistants à la réal.* : Ben Chapman et George Lollier. *Interprétation* : Douglas Fairbanks Jr. *(Charles II Stuart)*, Maria Montez *(Comtesse de Courteuil)*, Paule Croset *(Katie)*, Henry Danniell *(Colonel Ingram)*, Nigel Bruce *(Sir Edward Hyde)* Robert Coote *(Pinner)*, Otto Waldis, Eldon Gorst, Colin Keith-Johnson, Milton A. Owen, Ben H. Wright, Colin Kenny, Peter Shaw, Will Stanton, William Trenk, Michèle Haley.

Exilé en Hollande, Charles II Stuart est en butte aux traquenards ourdis par les complices de Cromwell. L'amour d'une jeune vendeuse de fleurs l'aidera à se défaire de ses poursuivants, et lui permettra de s'embarquer pour l'Angleterre afin de retrouver son trône.

1948
LETTER FROM AN UNKNOWN WOMAN
(Lettre d'une inconnue).

90 min. *Réal.* : Max Ophuls. *Prod.* : Rampart Prod. (John Houseman). *Scen.* : Howard Koch et Max Ophuls d'après la nouvelle de Stefan Zweig. *Photo* : Franz Planer. *Décors* : Russel A. Gausman et Ruby R. Levitt. *Costumes* : Travis Banton. *Mus.* : Daniele Amfitheatrof. *Son* : Leslie I. Carey, Glenn E. Anderson. *Montage* : Ted J. Kent. *Assistant à la réal.* : John Sherwood. *Interprétation* : Joan Fontaine *(Liza Berndle)*, Louis Jourdan *(Stefan Brand)*, Mady Christians *(Mme Berndle)*, Marcel Journet *(Johann Stauffer)*, John Good *(Léopold von Kaltnegger)*, Carol Yorke *(Marie)*, Art Smith *(John)*, Howard Freeman *(M. Kastner)*, Otto Waldis, Léo B. Pessin, Sonja Bryden, Erskine Sandfort.

A la veille d'un duel auquel il a l'intention d'échapper, un pianiste reçoit une lettre, non signée car la mort a figé la main inconnue, qui lui révèle toute une partie de son histoire et de lui-même, qu'il ignorait ou s'efforçait d'ignorer. Il y apprend l'amour d'une femme dont la vie n'a été attention constante à sa propre existence. L'éblouissement d'une unique rencontre avec elle aura fait naître un enfant, pourtant jamais

216

vu et déjà perdu, puisque sa mémoire a trahi celle qui lui offrait tout ce qu'il a vainement cherché au long de sa vie. A la fin de la lettre, le nom de l'inconnue ayant enfin été mis sur ses lèvres, mais par un autre, il partira pour le duel dont il connaît fort bien l'issue[8]*…*

1949
CAUGHT

88 min. *Réal.* : Max Ophuls. *Prod.* : Wolfgang Reinhardt Entreprise. *Scén.* : Arthur Laurents, d'après le roman de Libbie Block « Wild Calendar ». *Photo* : Lee Garmes. *Musique* : Friedrich Holländer. *Son* : Max Hutchinson. *Assistant à la réal.* : John Berry. *Interprétation* : Barbara Bel Geddes *(Léonora)*, Robert Ryan *(Smith Ohlrig)*, James Mason *(Larry Quinada)*, Franck Ferguson *(docteur Hoffmann)*, Curt Bois *(Franzi)*, Marcia Mac Jones *(la sœur de Léonora)*, Ruth Brady *(Maxime)*, Natalie Schaefer, Art Smith, Sonia Darrin, Bernardine Hayes, Ann Morrison, Wilton Graff, Vicky Raw-Stiener, Jim Hawkins.

Léonora, jeune américaine de condition modeste, épouse le millionaire de ses rêves, Smith Ohlrig. Mais celui-ci a pris femme uniquement pour prouver à son psychiatre qu'il peut le contredire. Insatisfaite de son rôle décoratif, Léonora veut travailler mais son mari s'y oppose, tout en la négligeant pour mieux se préoccuper de ses affaires. La jeune femme le quitte pour devenir la secrétaire d'un médecin (Larry Quinada) dont elle tombe amoureuse. Enceinte, elle revient chez elle mais la brutalité de son époux lui fait perdre leur enfant. Elle refuse de secourir son mari lors d'une crise cardiaque, et il succombe.

THE RECKLESS MOMENT
Désemparés)

82 min. *Réal.* : Max Ophuls. *Prod.* : Walter Wanger. *Scén.* : Henry Garson et Robert W. Soderberg d'après le roman d'Elisabeth S. Holding « The Blank Wall » adapté par Mel Dinelli et Robert E. Kent. *Photo* : Burnette Guffey. *Décors* : Frank Tuttle. *Costumes* : Jean-Louis. *Musique* : Hans Salter. *Son* : Russel Malmgrem. *Montage* : Gene Havlick. *Assistant à la réal.* : Earl Bellamy. *Interprétation* : James Mason *(Martin Donnelly)*, Joan Bennett *(Lucia Harper)*, Geraldine Brooks *(Béatrice Harper)*, David Bair *(David Harper)*, Henry O'Neill, Shepperd Strudwick, Frances Williams, Roy Roberts.

En voulant se défendre contre les avances trop brutales d'un homme particulièrement impatient, une jeune fille (Béatrice) le tue. Sa mère (Lucia Harper) parvient à faire entendre raison au complice du maître-chanteur (Martin Donnelly) qui la menace de livrer les indices compromettants à la presse et à la police. Devant les difficultés rencontrées par la femme pour réunir la rançon, Martin tente de sauver ce qui peut l'être et finit par se sacrifier après avoir tué son commanditaire.

Projet avorté : *Gigi*, d'après Colette.

8. Résumé de Meena Wallaby.

1950

Avant de retourner en Europe, Ophuls tente de faire aboutir un projet, *La Duchesse de Langeais*, avec Greta Garbo et James Mason : « *Il ne s'en fallut que de quelques dizaines de millions (introuvables) (…)* », écrit Claude Beylie.[9]

LA RONDE

97 min. *Réal.* : Max Ophuls. *Prod.* : Sacha Gordine. *Scen.* : Jacques Natanson et Max Ophuls d'après la pièce d'Arthur Schnitzler « Reigen » *Photo* : Christian Matras. *Décors* : Jean d'Eaubonne, Marpaux et M. Frederix. *Costume* : Georges Annenkov. *Musique* : Oscar Straus (chanson de Louis Ducreux). *Son* : Pierre Calvet. *Opérateurs* : Alain Douarinou et Ernest Bourreaud. *Montage* : Léonide Azar. *Assistants à la réal.* : Tony Aboyantz et Paul Feyder. *Interprétation* : Anton Walbrook *(le Meneur de jeu)*, Simone Signoret *(la Fille)*, Serge Reggiani *(le Soldat)*, Simone Simon *(la Femme de chambre)*, Daniel Gélin *(le Jeune homme)*, Danielle Darrieux *(la Femme mariée)*, Fernand Gravey *(son époux)*, Odette Joyeux *(la Petite)*, Jean-Louis Barrault *(le Poète)*, Isa Miranda *(la Comédienne)*, Gérard Philipe *(le Comte)*, Jean Clarieux, Robert Vattier, Marcel Mérovée, Charles Vissière, Jean Ozenne, Jean Landier, René Marjac, Jacques Vertan.

À Vienne, sous la conduite du Meneur de jeu, les amours se font et se défont. Le Soldat consomme un plaisir rapide avec la Fille avant de la délaisser pour la Femme de chambre qui séduit le Jeune homme (fils d'une bonne famille), celui-ci étant épris de la Femme mariée lasse de l'Epoux qui s'affiche avec la Petite fascinée par le Poète lié à la Comédienne qui s'enflamme pour le Comte, ce dernier se retrouvant au petit matin dans le lit de la Fille… La ronde est close.

1952
LE PLAISIR

95 min. *Réal.* : Max Ophuls. *Prod.* : Stéra-film CCFC, François Harispuru et Ben Barkay. *Scén.* : Jacques Natanson et Max Ophuls d'après « Le Masque », « La Maison Tellier » et « Le Modèle », trois contes de Guy de Maupassant. *Photo* : Christian Matras (Philippe Agostini pour « Le Modèle »). *Musique* : Offenbach, Mozart, arrangements de Joe Hajos. *Son* : Jean Rieul et Pierre Calvet. *Opérateurs* : Alain Douarinou, Walter Wottitz. *Montage* : Léonide Azar. *Assistants à la réal.* : Tony Aboyantz et Jean Valère. *Interprétation* : « Le Masque » : Claude Dauphin *(le docteur)* Jean Galland *(Ambroise, le Masque)*, Gaby Morlay *(sa femme)*, Paul Azaïs, Janine Viénot, Emile Genevois, Gaby Bruyère, Huguette Montréal, Liliane Yvernault.
« La Maison Tellier » : Madeleine Renaud *(Mme Tellier)*, Danielle Darrieux *(Rosa)*, Ginette Leclerc *(Flora)*, Paulette Dubost *(Fernande)*, Mila Parély *(Raphaële)*, Mathilde Casadesus *(Louise)*, Jean Gabin *(Joseph Rivet)*, Héléna Manson *(Marie Rivet)*, Louis Seigner *(Mr Tourneveau)*, Henri Crémieux *(Mr Pimpesse)*, Amédée *(Frédéric)*, Michel Vadet, Jo Dest, Claire Olivier, Charles Vissière, Zelie Yzelle, Pierre

9. Op. cit., p. 176.

Brasseur, Joëlle Jany, René Blancard, René Hell, Antoine Balpêtré, Marcel Pérez, Robert Lombard, Jean Meyer, Palau, Georges Baconnet.

« Le Modèle » : Daniel Gelin (le peintre), Simone Simon (Joséphine, le Modèle), Jean Servais (le chroniqueur) René Pascal, Marcel Reuzé.

Trois contes, trois méditations autour du plaisir : sous le masque du danseur qui s'est écroulé sur la piste du Palais de la danse, un docteur découvre le visage d'un homme âgé. Ayant raccompagné l'infortuné noceur à son domicile, le médecin apprend que cet ancien garçon-coiffeur court les nuits et les bals pour satisfaire sa passion des femmes.

Les filles de la Maison Tellier abandonnent pour un soir les notables de la ville qui constituent leur clientèle régulière, pour aller assister à la première communion de la nièce de la patronne. A la campagne, elles découvrent une infinité d'émotions et de sensations oubliées, leur passage à l'église les bouleversant jusqu'au plus profond d'elles-mêmes.

Joséphine, le Modèle, s'éprend violemment du peintre qui l'a accostée au musée. Mais celui-ci ne tarde pas à se lasser de sa nouvelle compagne et l'abandonne. Après l'avoir longtemps cherché, elle le retrouve chez le narrateur de l'histoire (qui prête sa voix à Maupassant lui-même tout au long du film) mais ne peut supporter d'être rejetée et se précipite par la fenêtre. Sa chute la laisse paralysée. Pris de remords, le peintre l'épouse.

Projet avorté : Automne (Autumn), avec Claudette Colbert et Anton Walbrook. Sans doute le plus important projet non tourné d'Ophuls. *« J'étais,* raconte son fils Marcel, *engagé comme assistant pour ce film. Je me rappelle que pendant des semaines, à Salzbourg, nous avons tout préparé jusque dans les moindres détails, et le jour où nous allions commencer à tourner, nous sommes aperçus que le producteur n'avait pas un sou !*[10] *»*

Le scénario original[11] voit l'action se dérouler à Salzbourg, pendant le festival. Un chanteur d'opéra en fin de carrière et au faîte de sa gloire dans le rôle de Don Juan s'éprend de la mère d'une jeune Américaine amoureuse de lui. Toutes deux seront rapatriées aux Etats-Unis par les soins du chef de famille, un directeur de société qui craint pour sa réputation. Le « Don Giovanni » de Mozart devait être intégré à la trame du film sous forme d'extraits qui faisaient progresser l'action. Il est infiniment regrettable que ce scénario superbe soit resté à l'état.

10. Propos rapportés par Claude Beylie dans *Positif* n° 232-233, p. 21.
11. Publié en anglais par *La Revue Internationale d'Histoire du Cinéma* n° 5, janvier 1975. Extrait dans *Positif* n° 232-233, p. 21-22.

1953

MADAME DE...

100 min. *Réal.* : Max Ophuls. *Prod.* : Franco-London-Films, Indus-films, Rizzoli. *Scen.* : Marcel Achard (dialogues), Annette Wademant et Max Ophuls d'après le roman de Louise de Vilmorin. *Photo* : Christian Matras. *Décors* : Jean d'Eaubonne. *Costumes* : Georges Annenkov et Rosine Delamare. *Musique* : Gluck, Meyerbeer et Oscar Straus, arrangements de George van Parys. *Son* : Antoine Petitjean. *Opérateur* : Alain Douarinou *Montage* : Boris Lewyn. *Assistants à la réal.* : Willy Pickardt et Marc Maurette. *Interprétation* : Danielle Darrieux (Louise de), Charles Boyer (Général André de), Vittorio de Sica (Fabrizio Donati), Mireille Perrey (la nourrice), Jean Debucourt (le bijoutier), Serge Lecointe, Jean Galland, Hubert Noël, Madeleine Barbulée, Jean Degrave, Georges Vitray, Beauvais, Léon Walther, Guy Favières, Jean Toulout, Robert Moor, Claire Duhamel, Germaine Stainval, Emile Genevois, Pauléon, Colette Régis, Paul Azaïs, Albert-Michel, Georges Paulais, Michel Salina, Roger Vincent, Charles Bayard, Max Mégy, René Worms, Gérard Buhr.

Afin de se procurer les liquidités nécessaires au remboursement d'une dette de jeu, Madame de, jeune et jolie mondaine mariée à un général, vend une paire de boucles d'oreilles offerte par son mari. Le bijoutier croit devoir en informer Monsieur de qui rachète le bijou pour en faire présent à sa maîtresse en partance pour Constantinople. Une soirée au casino, et l'objet finit dans la vitrine d'un commerçant : acheté par un diplomate (Fabrizio Donati) qui, de retour à Paris, s'éprend de Madame de, il revient dans les mains de sa première propriétaire. Afin d'en justifier la présence, Madame de fait mine de retrouver les boucles d'oreilles dans une paire de gants. Evidemment, le général n'est pas dupe et confond Donati lors d'un bal. De plus en plus contrarié par la puissance de la passion de sa femme - Madame de dépérit de jour en jour - pour le diplomate, il provoque ce dernier en duel et le tue. Madame de ne lui survivra pas.

Projet avorté : Mam'zelle Nitouche, avec Fernandel. Selon Claude Beylie, *« des divergences assez vives s'élevèrent dès les premiers pourparlers avec les producteurs, effrayés par l'adaptation "surréaliste et fastueuse" (dixit le co-scénariste Jacques Natanson) qu'Ophuls leur proposait de la célèbre opérette. »*[12]

1955

LOLA MONTES

140 min. (bientôt réduit à 110 min.). *Réal.* : Max Ophuls. *Prod.* Gamma-Films, Florida Films, Unionfilms. *Scen.* : Jacques Natanson (dialogues), Annette Wademant, Max Ophuls, Franz Geiger (version allemande) d'après la biographie romanesque de Cecil Saint-Laurent, « La vie extraordinaire de Lola Montès ». *Photo* : Christian Matras (Cinémascope, Eastmancolor). *Décors* : Jean d'Eaubonne, Jacques

12. Op. cit. p. 176.

Guth, William Schatz. *Costumes :* Georges Annenkov, Monique Plotin, Marcel Escoffier (robes de Martine Carol). *Musique :* Georges Auric. *Son :* Antoine Petitjean. *Opérateurs :* Alain Douarinou, Ernest Bourreaud, Henri Champion et Luc Miro. *Mont. :* Madeleine Gug[13]. *Assistants à la réal. :* Willy Pickardt, Tony Aboyantz, Claude Pinoteau, Marcel Ophuls. *Interprétation :* Martine Carol *(Marie Dolorès Porriz y Montez, Comtesse de Lansfeld, dite « Lola Montès »)*, Peter Ustinov *(l'Ecuyer)*, Anton Walbrook *(Louis 1er de Bavière)*, Ivan Desny *(James)*, Lise Delamare *(Mrs. Craigie)*, Henri Guisol *(Maurice)*, Paulette Dubost *(Joséphine)*, Oskar Werner *(L'étudiant)*, Will Quadflieg *(Franz Liszt)*, Claude Pinoteau *(Claudio Pirotto)*, Willy Eichberger *(le docteur)*, Jacques Fayet, Daniel Mendaille, Jean Galland, Béatrice Arnac, Werner Finck, Helena Manson, Walter Kiaulehn, Germaine Delbat, Gustav Waldau, Willy Rösner, Friedrich Domin, Hélène Iawkoff, Betty Philipsen et la troupe du cirque Kröne.

Aux Etats-Unis, exhibée comme un animal fabuleux dans un cirque minable où chaque spectateur peut venir à la fin de la représentation toucher ses bras et ses mains pour un dollar, Lola Montès revit son existence européenne. Après son mariage avec un lieutenant anglais, une liaison avec Liszt ne lui apporte guère de satisfaction durable. Courtisane préférée du roi Louis 1er de Bavière, une révolution la chasse du palais. Elle ne peut trouver le repos avec l'Etudiant rencontré sur une route de Bavière et préfère accepter la proposition de l'Ecuyer du Mammouth Circus qui lui propose d'organiser un spectacle autour de sa vie « scandaleuse ». Au cours du show, un docteur vient avertir le directeur du cirque que l'état du cœur de Lola ne permet plus à celle-ci d'assurer tous les numéros prévus, et notamment le grand saut final du haut d'un trapèze qui doit être exécuté sans filet. Lola choisit pourtant de s'élancer dans le vide.

1956

Préparation de *Modigliani*, avec Gérard Philipe, Françoise Arnoul et Anouk Aimée. La réalisation fut confiée à Jacques Becker, et le film sorti sous le titre *Montparnasse 19*. Le scénario fut remanié de fond en comble, ainsi que le découpage[14].

Préparation de « Der Tolle Tag » (version allemande du « Mariage de Figaro » de Beaumarchais) au Schauspieltheater de Hambourg.

1957

Première de « Der Tolle Tag » le 5 janvier. *« La pièce classique fut transformée en un véritable découpage cinématographique avec douze tableaux et douze décors qui s'enchaînaient et devaient se succéder devant les yeux des spectateurs. (...) La fin du spectacle vit un triomphe sans précédent : le public en délire fit quarante-six rappels, qui furent arrêtés à la demande de la direction, en raison de la grande fatigue des interprètes... »[15]*, écrit Georges Annenkov. Le matin même, Ophuls était entré en clinique.

26 mars : Mort de Max Ophuls. Ses cendres reposent au Père-Lachaise.

---

13. Un second montage est effectué contre la volonté d'Ophuls par la firme productrice. Il bouleverse l'ordre du film : voir Beylie, op. cit. p. 174.
14. id. p. 177.
15. Op. cit. p. 129.

BIBLIOGRAPHIE SELECTIVE

Ecrits de Max Ophuls, études et essais.

Max Ophuls par Max Ophuls, Robert Laffont 1963.
Annenkov, Georges. Max Ophuls, Le Terrain Vague 1962.
Beylie, Claude. Max Ophuls, Seghers 1963 réed. l'Herminier 1986.
Truffaut, François. Les Films de ma vie, Flammarion 1975.
Truffaut, François. Le Plaisir des yeux. Editions de l'Etoile 1987.

Numéro spécial de *Positif* n° 232-233 (juillet-août 1980), textes de Alain Masson et Barthelemy Amengual.

Sur l'art allemand et sa situation en Europe

Collectif. Das Gesamtkunstwerk, Zurick 1983.
Gregor-Dellin, Martin. Wagner, Fayard 1985.
Kraus, Karl. Dits et contredits, champ libre 1975.
Massin, Brigitte et Jean. Mozart, Fayard 1970.
Tapié, Victor-Léon. Baroque et classicisme, Livre de Poche « Pluriel » 1975.
Wölfflin, Hermann. Renaissance et baroque, Livre de Poche 1967.

Sur Goethe, le dix-huitième et le dix-neuvième siècle. Œuvres de Goethe.

Baldensperger, Fernand. Goethe en France, Hachette 1920.
Berthelot, René. La Sagesse de Shakespeare et de Goethe, Gallimard 1930.
Eckermann. Conversations avec Goethe, 2 vol. Fasquelle 1914. 1 vol, Gallimard 1949.
Goethe, Johann Wolfgang. Faust, traduction et présentation d'Henri Lichtenberger, 2 vol. Aubier-Montaigne 1948-1980.
    Pandora, traduction et présentation d'Henri Lichtenberger, 2 vol. Aubier-Montaigne 1948-1980.
    Les Souffrances du jeune Werther, Gallimard 1973.
Lichtenberger, Henri. Goethe, 2 vol. Didier 1938.
Ludwig, Emile. Goethe, Victor Attinger 1936.
Starobinski, Jean-Jacques. Les Emblèmes de la raison, Flammarion 1973.
Starobinski, Jean-Jacques. L'Invention de la liberté, Skira 1965.
Steiner, Rudolf. Goethe et sa conception du monde. Fischbacher 1966.

Sur Arthur Schnitzler, Vienne et le vingtième siècle. Œuvres d'Arthur Schnitzler.

Barthes, Roland. Mythologies, Seuil « Points » 1970
Benda, Julien. La Fin de l'éternel, Gallimard.
Benda, Julien. La Trahison des clercs, Grasset 1975.
Bled, Jean-Paul. François-Joseph, Fayard 1987.
Bloch, Ernst. Héritage de ce temps, Payot 1978.
Broch, Hermann. Création littéraire et connaissance, Gallimard 1985.
Clair, Jean. Considérations sur l'état des beaux-arts, Gallimard 1983.
Clair, Jean (sous la direction de). Vienne 1880-1938, l'Apocalypse joyeuse, éditions du Centre National d'Art et de Culture Georges Pompidou, 1986.
Derré, Françoise. L'Oeuvre d'Arthur Schnitzler, Didier 1966.
Ellul, Jacques. Métamorphoses du bourgeois, Calmann-Levy 1967.
Finkielkraut, Alain. La Défaite de la pensée, Gallimard 1987.
Johnston, William M. L'Esprit viennois, Presses Universitaires de France 1986.
Kraus, Karl. Pro domo et Mundo. Gérard Lebovici 1985.
Kraus, Karl. La Nuit venue. Gérard Lebovici 1986.
Lacoue-Labarthe, Philippe. La Fiction du politique, Christian Bourgois 1988.
Schnitzler, Arthur. Liebelei et La Ronde, le Livre de Poche 1975.
Weber, Max. L'Ethique protestante et l'esprit du capitalisme, Plon 1964.

TABLE

Cahiers du cinéma : pp. 6, 10, 18, 25, 28, 32, 36, 44, 85, 86, 87, 104, 111, 122, 126, 129, 133, 135, 140, 141 (dr.), 142, 144 (b.), 146, 147, 149, 152, 155, 157, 159, 162, 168, 186, 190, 192, 203, 210, 212.
Cinémathèque française : pp. 35, 39, 42, 47, 49, 54, 61, 68, 73, 76, 79, 82, 89, 91, 93, 94, 95, 108, 113, 117, 119, 132, 138, 141 (g.), 144 (h.).

La composition de cet ouvrage
a été confiée à TRAMOTEXTE
La photogravure à PELAMOURGUE
L'impression à l'Imprimerie TARDY QUERCY S.A.
Achevé le 26 mars 1988.
Dépôt légal avril 1988
N° d'Imprimeur : 14384